HOROSCOPES CHINOIS

PAULA DELSOL

HOROSCOPES CHINOIS

DISTRIBUTEURS EXCLUSIFS:

- Pour le Canada:
  AGENCE DE DISTRIBUTION POPULAIRE INC.*
  955, rue Amherst, Montréal H2L 3K4 (tél.: 514-523-1182)
  *Filiale de Sogides Ltée

- Pour la France et l'Afrique:
  INTER-FORUM
  13, rue de la Glacière, 75013 Paris (tél.: 570-1180)

- Pour la Belgique, la Suisse, le Portugal, les pays de l'Est:
  S.A. VANDER
  Avenue des Volontaires 321, 1150 Bruxelles (tél.: 02-762-0662)

Etes-vous nés sous une bonne lune ?

LES PAYS asiatiques ont des signes qui, au lieu de dépendre du soleil, comme les signes du Zodiaque, dépendent de la lune ou plutôt des années lunaires. Êtes-vous bien ou mal luné? La question se pose.

Une année lunaire comprend douze lunes et même treize lunes tous les douze ans. C'est pourquoi le Nouvel An asiatique (fête du Têt au Viet-nam) n'est jamais à la même date.

Comme pour nos signes du Zodiaque le cycle est de douze, mais de douze années au lieu de douze mois, et les signes défilent toujours dans le même ordre.

Chaque année de ce cycle est représentée par un animal et cet animal exercera une influence sur la destinée et le caractère des êtres humains nés pendant cette année. Tout cela se traduit souvent de façon symbolique et pittoresque puisque les rats sont pris au piège, que le poulet gratte du bec et des pattes pour trouver sa nourriture, que la chèvre bêle quand la prairie est maigre et que le chat retombe sur ses pattes...

On raconte qu'un certain nouvel an chinois, Bouddha appela à lui tous les animaux de la création en leur promettant une récompense à condition qu'ils daignent se déranger. Ce Bouddha était sans illusion et peu autoritaire, il faut en convenir...

Douze animaux seulement se rendirent à cet étrange rendez-vous, et dans l'ordre suivant : le rat, le buffle, le tigre, le chat, le dragon, le serpent, le cheval, la chèvre, le singe, le coq, le chien et ce bon vieux cochon.

A chacun d'eux Bouddha offrit une année qui porterait son nom, et dans l'ordre de leur arrivée. Ils acceptèrent. L'année 1968, par exemple, était l'année du singe (1969 celle du coq), et l'on pouvait s'attendre, en 1968, à quelques facéties, car chaque animal exerce non seulement une influence sur les natifs de son année, mais encore sur l'année elle-même.

Voilà pour la légende.

Il n'en reste pas moins que la lune exerce sur nous des influences sérieuses constatées par les sorcières, les médecins et les coiffeurs (ils recommandent de se couper les cheveux à la nouvelle lune). Nous serions bien en peine de vous expliquer scientifiquement ces problèmes et d'apporter une eau nouvelle au moulin de l'astrologie... La signification de ces signes nous a été transmise par la tradition. Mes souvenirs et ceux d'amis vietnamiens et eurasiens (parmi lesquels je me dois de citer Anne-Marie Jasmin) ont fait le reste.

Ces signes ont en Asie une telle importance personnelle, financière et politique que personne n'entreprend une action sans les consulter. L'année du cheval de feu, par exemple, est réputée mauvaise pour toute la famille si un enfant naît cette année-là. Bien des femmes asiatiques se sont fait avorter en 1966 plutôt que de donner naissance à un cheval de feu.

Quoi qu'il en soit, je pense que vous serez frappés comme moi par certaines coïncidences.

L'homme né l'année d'un de ces douze animaux aura sa force ou sa faiblesse, sa malice ou sa naïveté, il sera querelleur ou pacifique, orgueilleux ou modeste. Certes, des différences apparaîtront dès la naissance pour des questions de milieu, d'argent, par exemple, ou de parents de signes favorables ou défavorables à leur épanouissement... Mais qu'il soit chien de luxe, chien de garde ou chien des rues, cheval de labour ou cheval de course, chat de coin du feu ou chat de gouttière, les traits les plus marquants seront toujours les mêmes et les destinées semblables, toute proportion gardée.

Ajoutons que tout peut être différent selon la saison, le mois et l'heure de la naissance, selon qu'il aura fait chaud ou froid ce jour-là. En tout cas, ceux qui seront nés le premier jour de l'an seront plus caractéristiques et auront plus de chances de réussite.

Ce jour-là, appelé Jour du Têt au Vietnam, sera une grande fête et les rouleaux de pétards suspendus sous le porche ou sur le plus grand arbre du jardin chasseront les mauvais esprits de la maison. La croyance populaire veut que tout ce qui vous arrive ce jour-là risque de se reproduire toute l'année. Il est recommandé de ne pas trop travailler, de ne pas se quereller, de ne pas rencontrer ses créanciers et d'éviter ce qu'on appelle les représentants de l'ordre.

Ce Nouvel An asiatique est un peu décalé par rapport au nôtre. C'est une question de lunes, d'années cycliques, de mois intercalaires... trop scientifique pour notre propos. L'année commence en janvier ou en février, et ceux qui sont nés pendant ces mois peuvent être du signe de l'année précédente comme du signe de l'année chrétienne en cours. Aucune difficulté pour les autres, leur année chrétienne est bien celle de leur signe.

Des précisions pour ces dates du Nouvel An asiatique nous ont été fournies par l'ambassade du Viet-nam, à partir de 1949. Grâce à cette ambassade nous avons eu l'adresse de Monsieur Hoang-Xuan-Han, qui s'est trouvé être un de nos professeurs du lycée Albert Sarraut à Hanoï, et qui a eu l'obligeance de nous communiquer les dates du Têt depuis l'année chrétienne 1900.

Mais les traditions se perdent. A l'ambassade du Japon il nous a été répondu avec beaucoup de civilité qu'on ne tenait plus compte de la nouvelle lune de janvier et qu'on avait aligné, pour simplifier les choses, le Nouvel An japonais sur le Premier Janvier occidental, ce qui laisse nos capricornes et nos verseaux assis entre deux chaises. Nous nous proposons de vous communiquer au fur et à mesure les dates exactes de votre signe. Mais voici, simplifié à la mode japonaise, ce que nous pouvons en dire :

L'an 1900 étant l'année du rat, il vous sera facile de calculer votre signe (sauf si vous êtes nés en janvier ou février, je le répète) puisque les animaux apparaissent toujours dans le même ordre : rat, buffle, tigre, chat, dragon, serpent, cheval, chèvre, singe, coq, chien, cochon, et on recommence...

Nous espérons que ces signes vous intéresseront et que vous vous amuserez à les conjuguer avec les signes du Zodiaque, car un tigre né sous le signe du lion risque d'être plus virulent qu'un tigre né sous le signe du poisson...

Il ne nous reste plus qu'à vous souhaiter d'être né sous une bonne lune — bien que chaque signe porte en lui sa réussite.

rat	1900 1912 1924	1936 1948 1960
buffle	1901 1913 1925	1937 1949 1961
tigre	1902 1914 1926	1938 1950 1962
chat	1903 1915 1927	1939 1951 1963
dragon	1904 1916 1928	1940 1952 1964
serpent	1905 1917 1929	1941 1953 1965

cheval * cheval de feu	1906* 1918 1930	1942 1954 1966*
chèvre	1907 1919 1931	1943 1955 1967
singe	1908 1920 1932	1944 1956 1968
coq	1909 1921 1933	1945 1957 1969
chien	1910 1922 1934	1946 1958 1970
cochon	1911 1923 1935	1947 1959 1971

le rat

LE RAT, ce jouisseur

1900	31 janvier	au	19 février	1901
1912	18 février	au	6 février	1913
1924	5 février	au	25 janvier	1925
1936	24 janvier	au	11 février	1937
1948	10 février	au	29 janvier	1949
1960	28 janvier	au	15 février	1961

LE RAT est né sous le signe du charme et de l'agressivité. Au premier abord, il paraît calme, équilibré et gai. Ne vous y fiez pas! Cette apparence extérieure cache une agitation perpétuelle ainsi qu'une agressivité systématique. Il suffit de le fréquenter un peu longuement pour découvrir sa nervosité, son inquiétude, son tempérament coléreux.

C'est un faiseur d'embarras, un tatillon et quelquefois même un maniaque. Un râleur en tout cas.

Le rat aime les réunions d'amis et participe volontiers aux cancans. Il ne dédaigne pas la médisance et, pour cela, il a plus de relations que d'amis véritables, — c'est peut-être aussi parce qu'il ne se confie jamais à personne.

C'est un renfermé et il garde ses problèmes pour lui.

Mais avant tout le rat est un profiteur. Toute sa vie, il profitera de tout : de ses parents, de ses amis, de ses relations, de son argent comme de celui des autres, de son charme... De ce charme redoutable, il use et abuse sans frein.

Joueur et gourmand, il ne sait et ne veut se priver de rien. Paradoxalement, il a toujours peur de manquer de l'indispensable et, bien que vivant intensément dans le présent, il fera des rêves d'économies, de façon à s'assurer la sécurité pour ses vieux jours.

La femme rat, pour les mêmes raisons, aura tendance à remplir ses placards de provisions inutiles qu'elle consommera presque aussitôt. C'est aussi elle qu'on peut trouver acharnée dans les soldes, achetant à tort et à travers sous prétexte de faire une bonne affaire...

Le rat, très imaginatif, sera quelquefois un créateur, mais le plus souvent un excellent critique, et on sera bien avisé d'écouter ses conseils. Chez certains rats cette qualité peut devenir un défaut et les pousser à devenir de redoutables destructeurs qui détruiront par plaisir.

D'esprit souvent mesquin et petit-bourgeois, le rat reste honnête. Il a la faculté d'aller jusqu'au bout de ce qu'il entreprend, même si — hélas ! — ce qu'il a entrepris est voué à l'échec. Il arrivera à réussir sa vie et dans la vie s'il maîtrise son perpétuel mécontentement et son goût immodéré pour le moment présent.

Le rat, quoi qu'il en soit, préférera vivre de son astuce plutôt que de son travail et gagnera plus volontiers sa vie à la sueur du front des autres qu'à celle de son propre front.

Au pire, il peut faire un parasite génial, un usurier ou un prêteur sur gages. Une certaine paresse et la sécurité pourront faire de certains rats d'excellents ronds-de-cuir. Il peut réussir en affaires, en politique. Il peut exercer un métier artistique avec succès. Il est plus intellectuel que manuel.

Hélas, en même temps que le rat amasse l'argent, il le dépense. Il ne se prive de rien, le rat, et, s'il prête un jour de l'argent, ce sera avec intérêts.

Pourtant, ce profiteur est un sentimental. Il est capable d'une grande générosité pour la personne qu'il aime, et cela, même si elle ne répond pas à son amour.

Car c'est dans l'amour que le rat se réalise. Le rat gourmand, buveur, joueur et sensuel, est en même temps un grand sentimental.

Il sera bien inspiré de lier sa vie au dragon qui lui apportera sa force, son équilibre, et auquel il apportera son esprit critique. Le buffle le rassurera. Il se sentira en sécurité avec lui.

Le singe l'envoûtera même s'il ne veut pas le montrer. Il en sera follement amoureux et le singe s'en amusera.

Mais il lui faut éviter le cheval. Personnel et indépendant, le cheval ne supportera pas l'esprit profiteur du rat. Il serait surtout catastrophique pour un homme rat d'épouser une femme cheval de feu. Il est vrai que l'année du cheval de feu (1906-1966) ne revient que tous les soixante ans, ce qui limite les dégâts...

Attention aussi au chat pour des raisons que vous comprendrez facilement.

Le rat aura une enfance heureuse et une jeunesse insouciante.

La seconde partie de sa vie risque d'être fort agitée. Il pourra perdre toute sa fortune dans une mauvaise affaire, ou son bonheur à la suite de complications sentimentales. La troisième partie de sa vie sera confortable et sa vieillesse tranquille à souhait.

Mais tout peut être différent selon que le rat est né en été ou en hiver... En été, les greniers sont pleins. Mais, en hiver, il sera obligé de sortir pour chercher sa nourriture et il devra faire attention aux pièges dressés sur son chemin. Cela peut finir en prison ou par une mort accidentelle.

le buffle

LE BUFFLE,
le travail, la famille et la patrie

1901	19 février	au	8 février	1902
1913	6 février	au	26 janvier	1914
1925	25 janvier	au	13 février	1926
1937	11 février	au	31 janvier	1938
1949	29 janvier	au	17 février	1950
1961	15 février	au	5 février	1962

PATIENT et silencieux, réticent et lent, effacé et équilibré, précis et méthodique, le buffle cache un esprit original et intelligent sous une apparence un peu rustre. Il a le don d'attirer les confidences, ce qui est un des principaux atouts de sa réussite.

C'est un contemplatif. Peut-être est-ce pour cela qu'il aime la solitude.

Le buffle peut être sectaire jusqu'au fanatisme. Il est souvent chauvin, parfois « bigot ». C'est pourquoi il est souvent critiqué.

Malgré son apparence tranquille, c'est un coléreux, ou plutôt un violent. Car, pour être rares, ses colères n'en sont pas moins terribles. Il est préférable de ne jamais lui tenir tête : il pourrait devenir dangereux.

En dépit de son air placide, il est têtu

et déteste échouer dans ce qu'il entreprend. Malheur à celui qui se trouvera sur son chemin et contrera ses projets, il ne l'épargnera pas et pourra même être méchant. Car il « fonce » et rien ne l'arrête. C'est un chef, un meneur d'hommes.

Bien que renfermé, il lui arrive d'être éloquent en cas de nécessité absolue.

Le buffle déteste les nouveautés qui troublent sa tranquillité d'esprit. Il sera de ceux qui raillent Picasso, le nouveau jazz, les mini-jupes et les cheveux longs et ne supportera pas qu'ils soient adoptés par un membre de sa famille, ou de sa communauté. Il est très autoritaire. Sa famille, au sens large du mot, jouera un grand rôle dans son existence.

C'est un conventionnel, voire un traditionnel. On peut compter sur les femmes de ce signe pour faire des crêpes à la Chandeleur et s'habiller selon les circonstances. Mais il ne faut pas en attendre une hardiesse ou même une fantaisie vestimentaire.

C'est un gros travailleur qui apportera la prospérité aux siens, car il est d'un bon rendement. Pour le paysan vietnamien être propriétaire d'un buffle est un signe de richesse, mais cette richesse ne profite qu'à la famille.

Dans une maison sa présence est bénéfique, à condition qu'il travaille dans sa propre affaire ou pour lui-même. Il pourra exercer une profession libérale, s'occuper d'un garage, d'une entreprise, d'une propriété, lui appartenant. Comme il est à la fois adroit de ses mains et intelligent, il pourra faire un bon chirurgien. Mais il est surtout doué pour l'agriculture...

Il faudra qu'il évite les métiers de commerce ou de relations publiques : ses rapports avec les autres sont difficiles. Préférable aussi qu'il ne choisisse pas un métier qui l'oblige à voyager, car il y perdrait son équilibre et sa santé.

La femme buffle aura intérêt à rester dans son foyer. Elle sera une maîtresse de maison parfaite et une hôtesse attentive. C'est souvent elle qui mènera la barque.

Hélas, le buffle est rarement compris par son entourage. Ce têtu sectaire, pourtant, aime sa famille et il est orgueilleux de ses enfants. Mais il leur demande une obéissance aveugle, les élève d'une manière rude et exerce son autorité sans finesse, et pour la seule et unique raison qu'il se considère comme le chef. Pour cette famille il sera capable de tous les sacrifices.

Malheureusement l'amour pour lui n'est qu'une aimable gaudriole. Il peut être tendre, dévoué, sensuel, mais il n'est jamais romantique. Il méprise les badinages amoureux et les problèmes de la passion. Cette attitude matérialiste sera pour lui la source de bien des déboires sentimentaux et même conjugaux.

Le buffle ne sera pas jaloux de sa femme, ou de son mari, mais de ses prérogatives, et la fidélité de son conjoint est une de ces prérogatives.

En contrepartie il sera sentimentalement fidèle mais n'en aura pas grand mérite.

Son enfance et sa jeunesse seront sans histoire. C'est dans la seconde partie de sa vie qu'il rencontrera ses difficultés conjugales. Son conjoint risque de prendre ombrage de son indifférence et de chercher ailleurs le petit grain de romantisme qu'il ne peut trouver à la maison. Dans cette circonstance, le buffle, s'il ne parvient pas à se dominer grâce à son intelligence, aura une attitude antipathique qui risque de lui mettre son entourage à dos.

En fait, ce travailleur, ce familial, ne peut avoir d'indulgence pour un écart qu'il ne saurait comprendre.

Dans la troisième partie de sa vie, il aura de grosses difficultés, mais s'il parvient à les aplanir sa vieillesse sera tranquille.

Le buffle fera un mariage idéal ou une bonne association avec le coq, qu'il laissera briller en paix. L'entente de ces deux conservateurs sera parfaite. Tout ira bien avec le rat : amoureux du buffle, le rat lui sera fidèle jusqu'à la mort. Le serpent, bien que souvent infidèle, aura la sagesse de dissimuler ses sentiments et, de toute façon, ne quittera pas sa famille.

Comme le rat, le buffle sera fasciné par le singe. Il aura besoin pour réussir de sa fantaisie et de son imagination. Hélas, avec le singe, il ne trouvera pas la paix, qui, pourtant, lui importe davantage. Gare à la chèvre pour d'autres raisons : capricieuse, volage, elle pourrait déchaîner un drame par son inconstance.

La sagesse populaire affirme que le buffle ne peut et ne doit en aucun cas cohabiter avec le tigre. Cette cohabitation déchaînerait une lutte qui n'aurait de fin qu'avec le départ ou la disparition du tigre. Le buffle, plus fort, le chargerait sans cesse pour le détruire. Une mère buffle ne pourra jamais s'entendre avec un enfant tigre. Il vaudra mieux pour celui-ci quitter sa maison.

Nous dirons, pour finir, qu'un buffle né en hiver sera plus heureux : il aura moins de travail dans les rizières. Né en été, il n'aura pas de répit et devra travailler toute l'année avec acharnement.

le tigre

CE TIGRE dans leur moteur

1902	8 février	au	29 janvier 1903
1914	26 janvier	au	14 février 1915
1926	13 février	au	2 février 1927
1938	31 janvier	au	19 février 1939
1950	17 février	au	6 février 1951
1962	5 février	au	25 janvier 1963

LE TIGRE est frondeur et indiscipliné. Il a un caractère emporté et se trouve toujours en révolte contre son supérieur hiérarchique. Il est du bois dont on fait les révolutionnaires, les meneurs d'hommes... Malheureusement, comme tous les chefs, il ne mérite pas toujours la confiance qu'on lui accorde, et quand il crie « en avant! », en affaires comme en amour, et comme à la guerre, les gens bien avisés feraient bien de réfléchir avant d'agir et, quelquefois même, de le retenir par les basques. Le tigre pourrait les mener à la catastrophe. Il pousse en effet le goût du risque jusqu'à la témérité et même l'inconscience.

Il est difficile de résister à son magnétisme. Son autorité naturelle lui confère un certain prestige. Il déteste obéir mais se fait obéir. On le respecte. Personne n'ose lui dire ses quatre vérités. Et, alors même qu'on essaie de le détruire, on le vénère.

S'il parvient à réfléchir avant d'agir et à écouter les conseils de prudence, il peut atteindre la plus grande réussite.

Violent, emporté, batailleur, il est capable de se dévouer jusqu'à la mort pour une cause.

Obstiné et têtu, processif et souvent mesquin, il est toujours en conflit avec quelqu'un. Égoïste pour les petites choses, il est capable de grands actes désintéressés. D'esprit étroit, il ne fait confiance à personne.

Le tigre va toujours de l'avant, méprise l'autorité établie, la hiérarchie et les esprits conservateurs. Paradoxalement, il peut reculer devant une décision importante jusqu'à ce qu'il soit trop tard pour la prendre.

Le tigre pourra être un chef militaire, un chef d'entreprise. Il pourra même devenir un gangster redoutable. Il aimera tous les métiers qui comportent des risques. Il en sera de même pour les femmes tigres qui seront toujours les premières à lancer une idée ou à partir en guerre contre une habitude ou pour acquérir un droit.

Le tigre ne sera pas intéressé directement par l'argent, mais il pourra faire fortune.

C'est l'homme d'action par excellence. C'est

aussi l'homme des destinées exceptionnelles, des situations inespérées (Élisabeth d'Angleterre, née en 1926, année du tigre, n'était pas destinée à régner).

En fait, ce guerrier est sensible, émotif et porté vers la méditation profonde. Il est capable de beaucoup d'amour, mais, trop passionné, il est rarement heureux en amour.

La femme tigre aura de nombreuses aventures qui, souvent, finiront mal.

Le tigre pourra unir sa vie au cheval honnête, au dragon qui lui apportera force et prudence, au chien qui se trouvera toujours à ses côtés pour défendre les grandes causes.

Le tigre devra éviter le serpent trop sage qui ne le comprendra pas et le singe trop malin pour lui.

D'ailleurs, le tigre est en danger permanent. En amour comme en amitié et en affaires, il devra se méfier de ce singe de mauvaise foi et habile à le berner.

Ne jamais rien entreprendre avec le buffle car le buffle est plus fort que lui et l'attaquera sans répit pour le détruire. S'il y a un tigre et un buffle dans une même maison, le tigre aura intérêt à partir avant d'être anéanti (voir buffle).

Quant au chat, il ne fait jamais bon ménage avec le tigre. La croyance populaire dit que, pour ennuyer le tigre, il montera dans un arbre, où le tigre, plus lourd, ne pourra le suivre, et fera ses besoins sur son museau (ce qui pourrait facilement se traduire par un verbe français que je n'ose employer). En fait, ils se comprennent quand même car ils sont de la même race.

La première phase de la vie du tigre sera douce et sans difficulté. La seconde passionnée et violente. Il aura des problèmes de toutes sortes à résoudre, des problèmes financiers, sentimentaux, conjugaux, familiaux, rien ne lui sera épargné. Si ces problèmes ne sont pas traités habilement, ils peuvent se répercuter sur la troisième phase, qui pourtant finira par lui amener paix et tranquillité, s'il arrive à la vieillesse.

Mais la vie du tigre peut être totalement différente selon qu'il est né la nuit ou le jour... Né la nuit, et surtout autour de minuit, le tigre sera à l'abri des embûches de toutes sortes et sa vie sera moins mouvementée que s'il est né après le lever du soleil et surtout à midi. Sa vie risque alors d'être passionnée, violente, et il courra de grands dangers. De toute façon, il ne connaîtra pas l'ennui et, tigre de nuit ou de jour, il ne doit pas compter sur une vie tranquille.

D'ailleurs, il ne la souhaite pas. Accidentée, passionnée et passionnante, c'est ainsi qu'il la désire et c'est ainsi qu'il l'aura. Et cette vie, son goût du risque le poussera à la jouer sans cesse. C'est l'homme des morts violentes.

Mais c'est aussi l'homme de la chance. Personne n'a de chance comme le tigre. Il a « la baraka » pourrait-on dire. Pour les peuples asiatiques, c'est un signe excellent, car il représente la plus grande puissance terrestre et c'est un emblème de protection pour la vie humaine.

Un tigre dans une maison éloignera les trois grandes calamités : les voleurs, le feu et les esprits malins.

Pourtant s'il y a deux tigres dans une maison l'un d'eux doit disparaître.

le chat

LE CHAT,
cet homme tranquille

1903	29 janvier	au	16 février 1904
1915	14 février	au	3 février 1916
1927	2 février	au	23 janvier 1928
1939	19 février	au	8 février 1940
1951	6 février	au	27 janvier 1952
1963	25 janvier	au	13 février 1964

POUR LES VIETNAMIENS, il s'agit bien du chat, mais, pour les Japonais, ce signe est celui du lapin. Chat ou lapin, il retombe toujours sur ses pattes. C'est le plus heureux, le plus sûrement heureux... Le chat est doué, ambitieux sans exagération, de compagnie agréable, discret, réservé, raffiné, et qui plus est vertueux. Nul n'en ignore, car le chat parle bien et sait se mettre en valeur.

Mais ce déluge de qualités ne va pas sans un défaut qui, pour être mineur, n'en est pas moins grave : il est superficiel et, par voie de conséquence, ses qualités le sont aussi.

Le chat aime la société et la société l'aime. Il apprécie les réunions mondaines et il est parfois cancanier... mais il l'est avec subtilité, tact et prudence, ce qui l'amène à ne pas s'expliquer volontiers quand il a quelque chose de désagréable à dire de quelqu'un.

Le chat aime recevoir et sa maison est souvent décorée avec un goût raffiné. C'est un mondain, certains diraient même un snob. Il est pédant à ses heures et la femme chat fait étalage de sa culture (fraîchement acquise) avec délectation. Il lui arrive d'étudier à fond certains sujets dans le seul but de briller, alors qu'il ignore tout d'autres sujets beaucoup plus importants.

Le chat ne s'énerve pas facilement. C'est un calme, un placide, un pacifique. Il a plus de sensiblerie que de vraie sensibilité et s'attendrit plus facilement sur lui-même que sur les grands maux des hommes. Guerre et faim dans le monde ne le touchent et ne le concernent que s'il en souffre personnellement, mais il en souffrira alors si cruellement qu'il ne le supportera pas et se laissera mourir.

Le chat pleure facilement, mais se console vite. La mélancolie des femmes de ce signe est un des atouts majeurs de leur charme.

Le chat est conservateur. Il déteste tout ce qui vient troubler sa quiétude, tout ce qui lui apporte des problèmes. Il a le plus grand besoin de confort et de sécurité.

Comme il est prudent et même un peu timoré, il n'entreprend rien avant d'y avoir longuement réfléchi, d'avoir longtemps pesé le pour et le contre. Pour cette prudence les gens l'admirent et lui font confiance.

Financièrement, il sera toujours heureux. Il est adroit en affaires et celui qui signe un contrat avec un chat ne peut songer à s'en dédire. C'est un bon spéculateur et il a le don de repérer les bonnes occasions. Bref, ce chat tranquille est un homme d'affaires redoutable. Il réussira dans le commerce et pourra monter un magasin d'antiquités, par exemple, car il a du goût. Il pourra aussi être juriste (avocat, notaire, etc.) ou envisager une carrière diplomatique ou même politique, à condition que sa vie n'en soit pas perturbée et qu'il suive une carrière de tout repos.

Les femmes de ce signe pourront briller dans tous les métiers qui demandent du goût, le sens de la réception et une bonne présentation. L'homme politique serait bien avisé de se choisir une femme de l'année du chat : à la fois discrète et mondaine, elle lui apportera beaucoup par sa présence à ses côtés tout en étant heureuse d'être en vue...

Bien qu'affectueux et serviable avec ceux qu'il aime, bien que capable d'amour et de fidélité (il est vertueux), le chat se détache facilement de ses proches au bénéfice de ses amis. Il n'a pas l'esprit de famille et considère souvent ses parents ou ses enfants comme des étrangers auxquels il préfère les amis de son choix. L'instinct maternel des femmes de ce signe est très limité, mais elles feront toujours leur devoir.

Le chat fera bon ménage avec la chèvre, dont il appréciera le sens artistique. Il lui apportera son propre confort et ses caprices ne le toucheront pas. Tout ira bien avec le chien honnête et le cochon scrupuleux. Mais le coq l'agacera avec ses fanfaronnades et il devra éviter le rat... comme la peste.

Avec le tigre, ses rapports en amour comme en affaires seront très tendus. Le chat, moins fort, s'en sortira toujours par une pirouette car il comprend si bien le tigre, leur race étant commune, qu'il ne peut le craindre (voir tigre).

Le chat aura une existence calme au cours des trois phases de sa vie, à une seule condition : qu'il ne rencontre jamais de situation exceptionnelle, d'événement dramatique, d'obstacle insurmontable. Guerres, révolutions, catastrophes ne sont pas son affaire, il n'est pas taillé pour l'adversité. Tout ce qui vient troubler sa quiétude lui est insupportable; s'il ne résiste pas, il peut devenir fou, se suicider ou abandonner la partie jusqu'à ne plus être qu'une épave.

Les peuples asiatiques considèrent le chat — ou le lapin — avec méfiance. La croyance populaire dit que les sorcières se changent en chats. En Europe ne les brûlait-on pas vifs, au Moyen Age, en les accusant de dialoguer avec le diable? Mais il semble que cette mauvaise réputation ne soit pas méritée et les Égyptiens adoraient le chat comme un dieu. Dieu, sorcière ou homme, il n'en reste pas moins qu'il y a toujours dans son regard quelque chose de mystérieux, comme s'il détenait une vérité qu'il ne voudrait pas dire...

Son apparente faiblesse peut se changer en redoutable force.

le dragon

LE DRAGON,

ou « tout ce qui brille n'est pas d'or »

1904	16 février	au	4 février	1905
1916	3 février	au	23 janvier	1917
1928	23 janvier	au	10 février	1929
1940	8 février	au	27 janvier	1941
1952	27 janvier	au	14 février	1953
1964	13 février	au	2 février	1965

LE DRAGON est débordant de santé, de vitalité et d'activité. Franc comme l'or, entier, il est incapable de mesquinerie, d'hypocrisie, de médisance et même de la plus élémentaire diplomatie. Bien qu'il ne soit pas naïf, comme le bon cochon, il est confiant et on peut toujours lui faire prendre des vessies pour des lanternes chinoises. On l'a toujours aux sentiments.

Le dragon se tracasse beaucoup et pour de mauvaises raisons. Son goût de la perfection le rend exigeant pour lui-même comme pour les autres. C'est un scrupuleux. Il demande beaucoup mais il apporte énormément.

Irritable et têtu, le dragon est une « grande gueule » et ses paroles dépassent souvent sa pensée. Toutefois, bien ou mal présentées, on doit tenir compte de ses opinions car il est toujours de bon conseil.

Impétueux et enthousiaste, il s'emballe facilement. C'est un orgueilleux.

On le serait à moins : le dragon est doué pour tout, intelligent, volontaire, tenace, généreux. Aussi est-il écouté et en général influent.

Toute sa vie le dragon sera à l'abri du besoin. Il peut réussir dans n'importe quel métier. Qu'il choisisse une carrière artistique, religieuse, militaire, médicale ou politique, il brillera. Il lui arrivera de se consacrer à une grande cause ou à une grande œuvre : il parviendra toujours à ses fins. Malheureusement il pourra se consacrer au mal dans la même mesure et l'emporter sur le bien : c'est un vainqueur.

En amour, il est souvent aimé, mais il aime rarement. Il n'aura jamais de déception ou de chagrin d'amour. Par contre, il sera quelquefois la cause d'un drame du désespoir. Les femmes de ce signe seront très entourées et souvent demandées en mariage.

Le dragon n'est pas enclin à se marier jeune, et certains même restent célibataires. Il a le goût du célibat et se suffit parfaitement à lui-même. C'est même seul qu'il sera le plus heureux.

Il peut faire sa vie avec le rat, puisque le rat amoureux supporte tout et même l'indifférence. Certes le rat profitera de tout ce que lui apportera le dragon, mais il lui sera salutaire par son esprit critique et son goût de l'argent.

Il en sera de même pour le serpent. Son humour saura freiner l'orgueil du dragon. De plus, l'homme dragon sera toujours attiré par la beauté de la femme serpent, dont il sera fier.

Le coq fanfaron pourra s'entendre avec le dragon. Il ramassera avec plaisir les miettes de sa réussite.

En amour comme en affaires, le singe le complétera. Il apportera sa ruse et le dragon sa puissance. Ils ont besoin l'un de l'autre, mais seul le singe en aura conscience. Attention, de tous les signes, le singe est le seul qui puisse berner le dragon!

L'union du dragon avec le tigre ne peut pas être de tout repos. Mais surtout, il faut que le dragon évite le chien inquiet, pessimiste et réaliste, qui ne croira pas en lui.

Le dragon aura de petites difficultés dans la première phase de sa vie parce qu'il exigera beaucoup de ses proches. Il jugera probablement ses parents avec sévérité. Son tempérament artiste lui apportera des problèmes dans la deuxième phase de sa vie. Supérieur à son entourage, il aura quelquefois le sentiment d'être incompris. En fait, il sera admiré et écouté et ses déboires seront aussi petits que sera grande sa réussite. Comme il est difficile, il est insatisfait. Mais il sera très heureux, même s'il n'a conscience de ce bonheur que dans la dernière phase de sa vie, qui lui apportera tout ce qu'il désire.

C'est un signe de chance. C'est le signe de la plus grande puissance céleste et l'influence astrologique la plus bénéfique. Il symbolise la vie et la croissance.

Le dragon apporte les quatre bénédictions : richesse, vertu, harmonie et longévité...

Mais chaque médaille a son revers et si le dragon paraît avoir plus de facilité que les autres signes, n'oublions pas qu'il est illusion et fait illusion.

Le dragon brille quotidiennement, tranquillement, mais son éclat est de tout repos, il ne saurait éblouir, et sa forte personnalité n'est qu'une apparence. Il n'existe pas réellement : c'est un animal de parade, un personnage fabriqué, une sorte de figure de Carnaval, placide et puissant. Selon les besoins, il crachera du feu, de l'or ou de l'eau, mais on le brûlera après les fêtes, et comme le phénix il renaîtra de ses cendres pour la fête suivante.

C'est un animal chimérique.

le serpent

La sagesse du SERPENT

1905	4 février	au	25 janvier 1906
1917	23 janvier	au	11 février 1918
1929	10 février	au	30 janvier 1930
1941	27 janvier	au	15 février 1942
1953	14 février	au	3 février 1954
1965	21 février	au	21 janvier 1966

SI LE SERPENT a mauvaise réputation dans les pays chrétiens, dans les pays asiatiques, au contraire, il est réputé et souvent vénéré pour sa sagesse, sa sagacité et sa volonté. L'homme serpent est sentimental et agréable. Il a de l'humour. La femme est belle et réussit souvent par sa beauté (Grace Kelly, Jacqueline Kennedy, la reine Farah Diba sont du signe du serpent). Au Japon, quand on veut faire un compliment à une femme et rendre hommage à sa beauté, on a coutume de lui dire : « Ma chère, vous êtes un vrai serpent ! », ce qui est un compliment peu banal et qui risquerait de déplaire dans nos pays de culture chrétienne...

Le serpent est vêtu avec beaucoup de recherche et même une certaine ostentation :

il fait toujours un peu dandy. La femme a la manie des accessoires raffinés.

Le serpent est peu bavard. Il réfléchit beaucoup et profondément. C'est un intellectuel, un cérébral, un philosophe. Il possède beaucoup de sagesse. Pourtant, il pourrait se passer de sagesse et de réflexion, car il a une intuition remarquable. Cultivée, cette intuition peut devenir de la voyance. Aussi fait-il souvent confiance à ses impressions, ses sensations, ses sympathies, alors qu'il tient peu compte des faits, de ses expériences et de celles des autres, des jugements et des conseils. Il semble avoir un sixième sens.

Très déterminé à venir à bout de ce qu'il entreprend, il déteste échouer et, bien que calme de nature, il prend très rapidement ses décisions. Il remuera ciel et terre pour atteindre le but qu'il s'est fixé et ne supportera pas l'échec. C'est un mauvais joueur.

Le serpent n'est pas prêteur et cependant il lui arrive de ressentir de la sympathie pour les autres au point de les aider. Il paiera rarement en espèces sonnantes et trébuchantes, mais souvent de sa personne. Hélas, il tombera presque toujours dans l'excès et sa bonne volonté à porter secours risque de le rendre envahissant. En effet, il a tendance à exagérer, et s'il a rendu un service à quelqu'un, il deviendra possessif et plus encombrant qu'utile. Son instinct le poussera à s'enrouler autour de son obligé jusqu'à l'immobiliser ou même l'étouffer. Aussi, réfléchissez bien avant d'accepter l'aide d'un serpent. Vous pourriez le regretter.

En matière d'argent, le serpent a de la chance. Il n'a pas à s'en soucier. Il en trouvera toujours quand il en aura besoin et, d'ailleurs, il le sait bien (ou plutôt le sent si bien) qu'il n'est jamais inquiet à ce sujet. Il n'en prête pas, car il est un peu ladre. Ce qui est à lui est à lui. Il peut devenir avare en vieillissant.

Le serpent peut faire tous les métiers qui ne comportent aucun risque, même celui de trop travailler, car il est paresseux... comme une couleuvre.

En amour, s'il choisit un partenaire, il sera exclusif et jaloux, même s'il ne l'aime plus. De toute façon, il s'enroulera autour de son conjoint, ne lui laissant plus aucune liberté de mouvement, et souvent par simple caprice. Car notre jaloux est un « coureur ». L'homme serpent surtout. Cet homme plaira aux femmes. Homme ou femme, le serpent aura tendance aux affections extra-conjugales qui compliqueront sa vie. Il serait bien avisé de lutter contre cette tendance, et s'il pouvait consacrer son affection à sa famille, sa vie y gagnerait en harmonie et en sérénité. C'est là que le bât le blesse.

Le serpent aura souvent une nombreuse famille, ce qui sera pour lui une façon comme une autre d'immobiliser son partenaire.

Il sera heureux avec le buffle, qui se laissera volontiers envahir par cette famille à condition d'en rester le chef — rôle que le serpent lui concédera volontiers.

La lutte du serpent contre le coq, s'ils sont mariés, alliés ou associés, sera favorable à la correction de leurs défauts mutuels.

Mais pitié pour le cochon s'il tombe (nous allions dire entre les pattes...) sur un serpent! Il se laissera enchaîner, immobiliser, envahir, et le serpent se vautrera dans ses travers, sûr de l'impunité.

Pas de tigre dans la vie du serpent. Le tigre le détruirait.

Les deux premières phases de la vie du serpent seront relativement calmes. Attention à la dernière phase! C'est à ce moment-là que son caractère sentimental et passionné et son goût des aventures pourront lui jouer des tours, alors même qu'il pourrait avoir une vieillesse tranquille...

Mais tout peut changer selon que notre serpent est né en été ou en hiver, le jour ou la nuit, et même suivant le temps qu'il a fait le jour de sa naissance. La chaleur lui convient. Il craint le froid, les bourrasques, les giboulées. En résumé, il sera plus heureux s'il naît par une chaude journée d'été à midi, dans un pays tropical, que par une nuit glaciale de décembre. Cette destinée est tellement sensible aux intempéries que le serpent né un jour de tempête sera en danger toute sa vie.

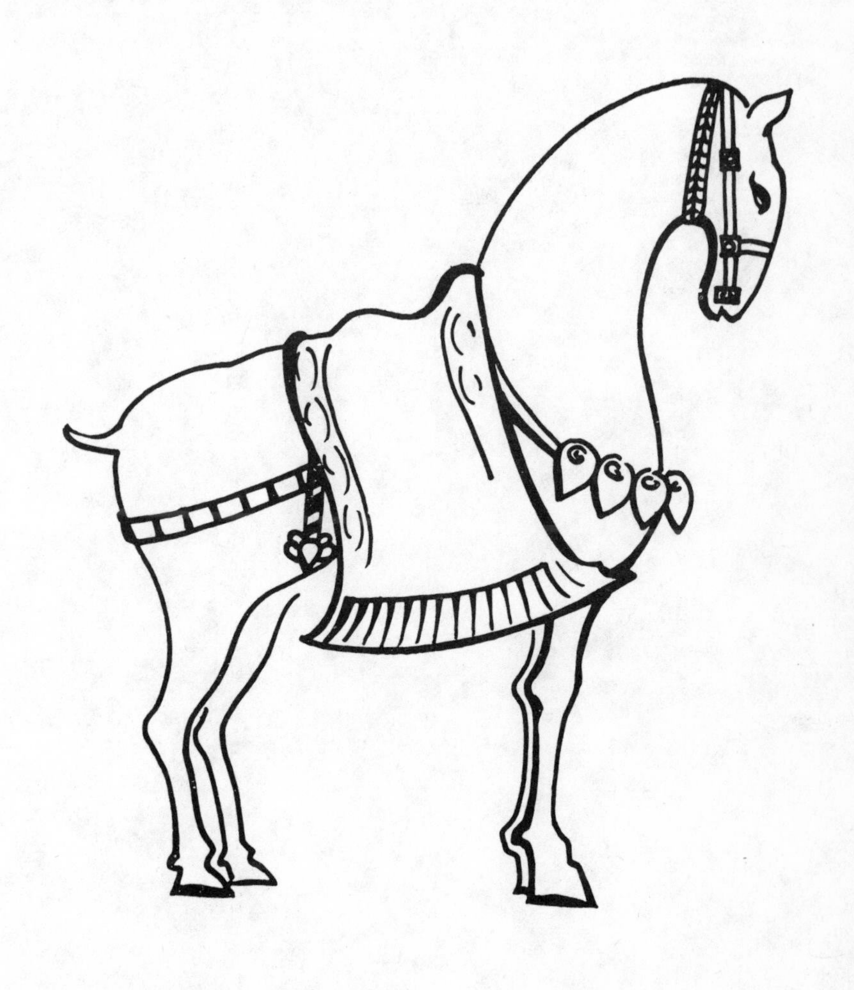

le cheval

LE CHEVAL,
cet honnête homme

1906	25 janvier	au	13 février 1907
1918	11 février	au	1er février 1919
1930	30 janvier	au	17 février 1931
1942	15 février	au	5 février 1943
1954	3 février	au	24 janvier 1955
1966	21 janvier	au	9 février 1967

LE CHEVAL présente bien. Il a même de l'allure et il sait s'habiller. Il aime les spectacles, le théâtre, les concerts, les meetings, les réunions sportives, bref tout ce qui attire la foule. Il pratique souvent un sport avec un certain succès. Le cheval sait tourner un compliment, il est gai, bavard, sympathique et même populaire. Il peut réussir dans la politique, ce qui lui apporterait de grandes satisfactions et l'occasion de faire des discours... Il y excelle. Il a une grande facilité à manier les foules.

Son esprit est rapide et il saisit la pensée des gens avant même qu'ils l'aient exprimée, ce qui lui permet de devancer, pour les contredire ou les approuver, les arguments de ses interlocuteurs.

Le cheval est en général doué, habile de ses mains comme de son esprit. Plus habile qu'intelligent, en vérité, et il le sait si bien que, malgré son air sûr de lui, il manque de confiance en lui. C'est un faible.

Le cheval a le sang chaud (de là sans doute l'expression « une fièvre de cheval ») et s'impatiente facilement. C'est ainsi qu'il perd souvent le bénéfice de son habileté à se rendre populaire. Ceux qui ont assisté à une de ses colères ne lui accorderont plus la même confiance, car ses colères ont toujours quelque chose d'infantile. Pour réussir, il lui faudra les dominer.

Le cheval est égoïste. Il piétinera ceux qui se trouveront sur son chemin sans remords car son ambition est grande et personnelle. Il est égocentriste aussi et ne s'intéresse le plus souvent qu'à lui et à ses problèmes, même s'il lui arrive d'intervenir courageusement dans les problèmes des autres. Très indépendant, il n'en fait qu'à sa tête et n'écoute jamais les conseils. Il sera bon qu'il quitte sa famille assez jeune pour vivre sa vie, ce qu'il fera d'ailleurs volontiers car l'ambiance de son foyer lui pèse.

Quand il fondera à son tour une famille, sa présence y sera bénéfique et il en sera le personnage central — ce qui le ravira. Tout gravitera autour de lui, de sa situation, de ses problèmes, du repassage de ses chemises et du pli de ses pantalons... Cette attitude sera justifiée par le fait, il faut bien le dire, que sa présence protège la famille. S'il venait à la quitter ou à disparaître, l'édifice s'écroulerait comme un château de cartes.

Car, si cet égoïste travaille pour lui-même et sa propre réussite, son travail profite à tous et il est toujours d'un bon rendement.

Ce cheval personnel est travailleur, habile à manier l'argent et même bon financier. Malheureusement, comme il est d'humeur changeante, il se lasse vite de ce qu'il a entrepris, que ce soit un métier, une affaire ou un amour. Qu'importe, il recommencera avec le même succès et le même acharnement. Il pourra entreprendre n'importe quel métier qui n'exigera pas de lui la solitude ou la méditation. C'est un extraverti et il a besoin d'être entouré, approuvé et flatté.

Dans ses relations avec le sexe opposé, le cheval est faible. Il peut tout abandonner pour un amour. Un cheval amoureux est passionné au point de devenir indifférent à tout le reste.

C'est pourquoi il échoue souvent dans la vie malgré ses dons certains. S'il arrive à dominer cette faiblesse et si son ambition l'emporte sur sa passion, il pourra vivre heureux et réussir.

Le cheval pourra faire sa vie avec la chèvre. Ils seront complices et frôleront ensemble les précipices — les caprices et l'humeur changeante de la chèvre glisseront sur l'égoïsme du cheval. Il ne s'en apercevra même pas...

Le cheval fera bon ménage avec le tigre et le chien pour les raisons inverses. Ceux-ci, trop occupés à résoudre leurs grands problèmes, n'attacheront aucune importance à l'instabilité sentimentale du cheval. Il pourra vivre sa vie.

Mais, en aucun cas, il ne devra épouser un rat, surtout s'il est femme et cheval de feu (1906-1966). Une liaison entre ces deux passionnés ferait des étincelles et pourrait les mener jusqu'au drame.

La première et la deuxième parties de la vie du cheval seront très troublées. Il quittera jeune sa famille et cela n'ira pas sans quelques déboires. Sa vie sentimentale sera agitée. La troisième partie de sa vie sera paisible.

Mais on ne peut parler du cheval sans parler de l'année du cheval de feu qui revient tous les soixantes ans (1846, 1906, 1966, 2026...). Ces années sont mauvaises pour les chevaux en général et pour toutes les familles qui ont un cheval dans leur maison. De bénéfique, sa présence peut devenir maléfique. Malheurs, maladies, accidents toucheront cette famille pendant cette année-là.

Hommes et femmes nés cheval de feu auront les mêmes caractéristiques que le cheval. Ces caractéristiques cependant seront plus accentuées dans le bon comme dans le mauvais sens. A la fois plus travailleur, plus habile, plus doué, plus indépendant, il sera, hélas, d'un égoïsme forcené et son tempérament passionné le poussera aux pires excès quand il sera amoureux.

Certains le disent plus bénéfique pour sa famille, mais la croyance populaire prétend que le cheval de feu apporte des complications dans le foyer où il est né comme dans celui qu'il fondera. Cette théorie ne s'appuie sur aucun fait dans le passé.

Sa vie sera plus exceptionnelle, plus accidentée, plus intéressante que celle du cheval ordinaire et il portera en lui la possibilité de la célébrité, qu'il soit célèbre par le bien ou par le mal.

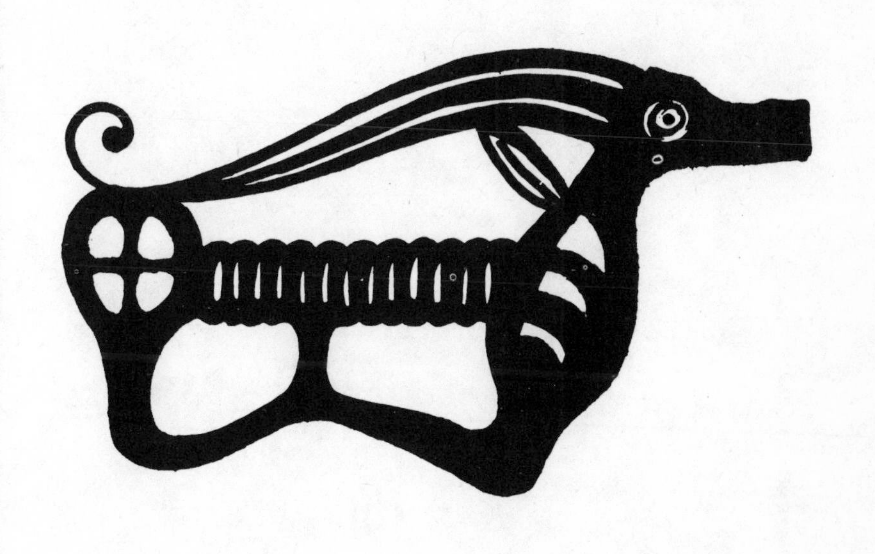

la chèvre

LA CHÈVRE capricieuse

1907	13 février	au	2 février	1908
1919	1er février	au	20 février	1920
1931	17 février	au	6 février	1932
1943	5 février	au	25 janvier	1944
1955	24 janvier	au	12 février	1956
1967	9 février	au	29 janvier	1968

ÉLÉGANTE, artiste et amoureuse de la nature, la chèvre pourrait être le plus charmant des signes si elle n'était aussi hésitante, pessimiste, tracassée et tracassière. La chèvre n'est jamais contente de son sort. Elle exaspère son entourage par ses caprices. Elle est envahissante sans en avoir conscience. Son indiscipline, ses retards systématiques (elle n'a aucun sens de l'heure) la rendent insupportable, et pourtant elle sait plaire quand c'est son intérêt, parvient facilement à profiter des autres et quelquefois à vivre entièrement à leurs dépens.

En contrepartie, elle n'a aucune indépendance et s'adapte facilement à n'importe quel mode de vie, du moment qu'on lui apporte un minimum de sécurité.

Timide, féminine, quelquefois efféminée, elle n'en aime pas moins se plaindre, comme elle aime qu'on parle d'elle, qu'on la guide, qu'on la conseille, sans renoncer pour autant à ses sempiternelles hésitations, à ses tergiversations, à ses lamentations... Elle ne sait jamais quelle direction prendre et s'en remet toujours aux autres. On pourrait dire en parlant d'elle qu'elle est d'un pessimisme béat.

Ses manières sont sages et douces, mais son esprit est capricieux. Elle est souvent religieuse, mais quelle que soit sa religion, elle ne la pratiquera que dans la mesure où sa vie n'en sera ni perturbée ni même changée. Par contre, elle sera attirée par le fantastique, le supranaturel, l'occultisme... et les horoscopes.

La chèvre paraît bonne. On dirait « bien brave » dans le Midi. En fait, elle est capable d'actes charitables et de gentillesse et partage volontiers avec ceux qui sont plus malheureux qu'elle. Malheureusement, ce qu'elle partage ne lui appartient pas toujours.

Il faut dire à sa décharge que la chèvre n'a aucun sens de la propriété.

La chèvre se laisse facilement attacher, mais elle tire sur sa corde. La sagesse populaire dit que la chèvre attachée dans une prairie grasse sera calme et sage, tandis que la chèvre attachée dans une prairie maigre ne cessera de bêler et de se plaindre. Tout se passe comme si sa vie ne dépendait pas d'elle-même, mais des autres, ou, à la rigueur, de sa chance. Quoi qu'il arrive, ce n'est jamais de sa faute. Elle est d'une mauvaise foi déconcertante. Elle n'a en général aucun sens des responsabilités, aucune initiative et aucune volonté. Elle peut faire semblant de commander, mais il est difficile d'être dupe : elle est faite pour obéir et, sous une bonne influence, elle peut réussir et même exceller dans un métier artistique, car elle a du goût et du talent. Elle peut faire un bon artisan et exercer avec succès tous les métiers qui demandent qu'on soit à la fois artiste et technicien, car elle est intelligente. Mais elle ne jouera jamais le premier rôle et ce sera tant mieux pour elle. Car, associée efficace (si ce n'est de tout repos), elle fait un piètre chef. Son esprit fantaisiste a besoin de s'appuyer sur une volonté solide et réaliste à condition qu'on le flatte, car elle est sensible à la flatterie.

C'est un signe féminin... à moins que notre éducation et nos traditions nous aient habitués à pardonner plus facilement aux femmes leur dépendance. La chèvre veut être en sécurité et elle rêvera d'un riche mariage ou d'une association profitable, ou d'un généreux mécène. Elle peut aussi vivre chez de riches parents. Elle est du bois dont on fait les courtisanes, les maquereaux, les parasites. Elle est aussi du bois dont on fait les grands artistes, les grands écrivains. Tout cela dépendra de sa chance, des influences subies et de la qualité de l'herbe de sa prairie.

Mais qu'elle évite le commerce. C'est un piètre vendeur. Son langage est souvent confus, elle s'exprime d'une façon embarrassée, son débit est trop rapide ou trop lent et elle est sujette aux défauts de langue.

Et qu'elle ne fasse pas la guerre : elle ne sera jamais ni un conquérant, ni un chef, ni même un soldat...

Au pis-aller, une chèvre qui a mal tourné peut finir sous les ponts.

La chèvre n'aura pas, grâce aux autres, de problèmes sérieux en ce qui concerne I-Shoku-Ju (ce qui signifie en japonais : l'habillement, la table, une vie confortable) tant est grande sa faculté de frapper à la bonne porte...

Si vous avez une maison de campagne confortable et fréquentée par des artistes, évitez de laisser une chèvre s'y installer. Vous risqueriez de ne pouvoir l'en déloger. Le confort est indispensable à son équilibre, la fréquentation des artistes à son épanouissement, et la campagne : « elle adore ça »!

Les problèmes amoureux des chèvres seront fréquents, mais sans importance, et leur vie sentimentale agitée.

Si la chèvre fait sa vie avec un chat, un

cochon ou un cheval, tout ira bien. Ils peuvent lui assurer I-Shoku-Ju, pour des raisons différentes. Ses caprices amuseront le chat, seront supportés par le cochon (jusqu'à une certaine limite) et ne dérangeront pas le cheval égoïste.

Aucun autre signe ne pourra supporter la chèvre trop longtemps, et surtout pas le buffle. Si le buffle apporte la sécurité à sa famille, il lui demande beaucoup en échange et la chèvre ne peut apporter qu'elle-même.

Quant au couple chèvre-chien, en amour ou dans le travail, il est voué à l'échec. Ces deux pessimistes traîneraient leur vie comme un carcan et seraient éternellement mécontents l'un de l'autre.

De toute façon, quel que soit le signe du partenaire, la chèvre ne portera jamais la culotte...

La deuxième phase de sa vie sera sentimentalement agitée, mais elle aura beaucoup de chance dans les deux autres.

Retenons surtout que, dans une prairie grasse, sans soucis matériels et bien conseillée, la chèvre peut réussir...

le singe

Malin comme un SINGE

1908	2 février	au	22 janvier	1909
1920	20 février	au	8 février	1921
1932	6 février	au	26 janvier	1933
1944	25 janvier	au	13 février	1945
1956	12 février	au	31 janvier	1957
1968	29 janvier	au ...		

C'EST L'ESPRIT le plus fantasque du cycle. Le singe est malicieux, boute-en-train, il a souvent de l'humour, parfois de l'esprit, mais il est toujours astucieux. Le singe est sociable et il donne l'impression de s'entendre avec tous les signes. Mais cet accord n'est souvent qu'une tactique : le singe est très intéressé. Enjoué, aimable et même serviable, il dissimule la piètre opinion qu'il a des autres sous une indéniable affabilité. En fait, il méprise tous les autres signes et se croit, par voie de conséquence, supérieur à tout le monde. C'est un vaniteux.

Le singe est un intellectuel. Il a une grande soif de connaissance. Il a tout lu, connaît une infinité de choses et il est au courant de tout ce qui se passe dans le monde. Cultivé et même instruit, il a si bonne mémoire qu'il est capable de se souvenir des moindres détails de ce qu'il a vu ou lu ou entendu. Sa mémoire lui est du reste indispensable, car il est très désordonné.

Inventif et original à l'extrême, le singe est capable de résoudre les problèmes les plus difficiles avec une étonnante rapidité. Mais, s'il ne peut commencer dans l'immédiat ce qu'il a décidé de faire, il abandonne avant même d'avoir essayé.

Le singe a beaucoup de bon sens et une prodigieuse habileté à berner les gens. Il réussit même à berner le dragon qui est pourtant puissant, tenace et habile, et parvient fort bien à résister au magnétisme du tigre dont il se moque.

Le singe, très diplomate et très malin, réussit toujours à se tirer des situations difficiles. Indépendant et personnel, il ne faut jamais rien lui imposer. C'est lui qui choisit.

Il a peu de scrupules. Il n'hésite pas à être de mauvaise foi et à mentir quand c'est nécessaire à sa cause. Il peut commettre des actes malhonnêtes dans la mesure où il sera sûr de l'impunité. Car le singe se fait rarement prendre. Certains singes poussent cette conscience élastique jusqu'au vol, mais s'ils ne sont pas tous voleurs, ils sont tous menteurs.

Quoi qu'il fasse, on ne parvient pas à lui

en vouloir tant il a de charme et tant il est habile dans l'art de plaire...

Bref, le singe est un arriviste. Il a raison de l'être, car il a toutes les chances d'arriver. En effet, malgré ses traits négatifs (vanité, mensonge, manque de scrupules) on le recherche pour son intelligence et son acuité d'esprit. Adroit dans les entreprises de grande envergure, malin dans les tractations financières, le singe est un excellent collaborateur dans tous les domaines qui demandent un esprit rapide, avisé, et même quelquefois une conscience facile à satisfaire. Le singe peut réussir dans toutes les professions. Politique, diplomatie, commerce, industrie n'ont pas de secrets pour lui. Il peut tout essayer, tout se permettre, surtout s'il a fait des études supérieures. Il accède souvent à la célébrité si on lui permet de suivre sa vocation. Il doit seulement se méfier des excès de paroles qui risquent de lasser les gens.

Malgré quelques ennuis financiers, le singe aura en général une bonne situation.

En amour, il ne trouvera pas le bonheur. Les relations homme-femme seront mauvaises. Exubérant, il s'emballera facilement, mais se lassera vite de l'objet aimé et cherchera un autre amour. Hélas, il le cherchera en vain. C'est un instable. Et, bien que passionné, sa lucidité et son sens critique le refroidissent rapidement. Mais son humour le sauve du désespoir. Plus que quiconque il sait rire de ses propres déboires et en tirer les conséquences qui s'imposent.

Le singe fera bon ménage avec le dragon. Il lui apportera sa ruse, mais profitera de sa puissance. Ils peuvent également faire des affaires ensemble. Il est vrai que le singe aura toujours l'arrière-pensée de jouer au plus malin.

Le singe s'entendra avec le rat, qu'il fascine. Le rat supportera tout du singe et l'aimera toute sa vie avec passion, même s'il n'est pas payé de retour.

Le singe se moque du tigre, mais il ferait mieux de s'en méfier. Toute union sentimentale ou commerciale entre le singe et le tigre ferait des étincelles. Le singe n'aime pas les excès et d'en rire ne l'empêchera pas d'en être victime. Attention, il risque d'être dévoré.

Quel que soit son conjoint, le singe aura en général tendance à avoir beaucoup d'enfants.

La première partie de sa vie sera heureuse. La seconde sera bouleversée et confuse et ses plans avorteront souvent. La troisième sera calme, mais il aura une vieillesse solitaire et mourra loin de sa famille, quelquefois accidentellement...

le coq

LE COQ,
aventurier des chaumières

1909	22 janvier	au	10 février	1910
1921	8 février	au	28 janvier	1922
1933	26 janvier	au	14 février	1934
1945	13 février	au	2 février	1946
1957	31 janvier	au	16 février	1958
1969	...	au	...	

LES VIETNAMIENS disent plus volontiers le « poulet », ce qui plaît moins, d'une façon générale, à notre fanfaron. C'est pourquoi, à la japonaise, nous nous en tiendrons au coq — puisque ce rêveur se prend au sérieux et qu'il aime la flatterie. Le coq a son franc-parler et se montre parfois même brutal et agressif. Cela n'irait pas sans heurts si ses victimes ne mettaient cette attitude sur le compte de la franchise et de l'excentricité. Ses victimes se trompent. Franc, le coq l'est assurément, comme l'or. Il dit ce qu'il pense, comme il le pense et sans détours : « Vlan! » Mais cette franchise est plutôt une tendance à l'égoïsme : il se désintéresse totalement des sentiments et de la susceptibilité des autres et considère qu'il n'a aucune raison de les ménager. Cela lui barre assurément toutes les carrières de la diplomatie...

Quant à son excentricité, elle n'est qu'apparente. Certes, il aime se faire remarquer et a tendance à s'habiller de façon voyante, mais il est, en réalité, profondément, complètement, absolument conservateur, même dans ses opinions politiques et même à ses dépens.

Le coq pense qu'il a toujours raison et qu'il sait ce qu'il fait. Il ne donne sa confiance à personne et ne s'en remet jamais qu'à lui-même. Par contre, il distribue les conseils avec prodigalité.

Certes, il paraît aventureux et téméraire. N'en croyez rien! Il est seulement plein à craquer de projets absurdes et irréalisables, et poursuit des chimères. Il aime rêver, méditer, imaginer qu'il est un héros, mais il rêve, médite et imagine au chaud, dans ses pantoufles. C'est un philosophe à l'esprit un peu myope et qui se livrerait peu à l'improvisation.

Le coq n'est pas timide, au contraire. Il est hardi (ce qui explique bien des choses...) et même très courageux quand c'est nécessaire. Courageux au point de risquer sa vie avec le sourire. C'est pourquoi il peut faire un bon militaire.

Les gens en général le trouvent intéressant, mais s'il n'y prend pas garde, il risque de décevoir. Vantard, en effet, il en dit toujours plus qu'il n'en fait. Souvent brillant, il est plus agréable en société que dans l'intimité.

Contemplatif, il pourrait avoir une certaine tendance à la paresse... Au contraire, il se donne à fond à son travail. C'est en général un gros travailleur. Il veut toujours en faire plus qu'il ne peut et entreprend des tâches au-dessus de ses forces. S'il ne parvient pas à les mener à bien, au prix d'efforts considérables, il sera très déçu.

Il aura raison d'être actif. L'argent ne lui tombera pas dans le bec sans mal. Il devra travailler pour gagner sa vie et, si le terrain est bon, il peut même devenir riche. Il est apte cependant à tirer de l'argent du terrain le plus ingrat. Les Vietnamiens prétendent qu'à force de gratter du bec et des pattes, il trouverait un ver de terre dans un désert. Ce symbole explique l'agitation constante qui le caractérise... Mais si par hasard un coq se laissait aller à rêver ou à fainéanter comme il aimerait le faire, il peut devenir un de ces clochards philosophes et drôles qui fouillent dans les poubelles, puisque c'est après tout une façon comme une autre de se faire remarquer.

Le coq est doué pour l'agriculture et les métiers qui le mettent en rapport avec les autres. Il aime avoir du panache.

De toute façon, comme il est prodigue, il

dépensera tout ce qu'il gagnera au fur et à mesure et même aura tendance à courir de gros risques financiers. Il frôlera souvent la faillite, la ruine, la catastrophe, pour avoir trop rêvé... Il ne fera jamais d'économies.

En amour, il lui faudra aussi se donner du mal pour gagner comme pour conserver l'affection de la personne aimée. Il la décevra souvent car la réalité ne sera jamais à la hauteur des rêves qu'il aura voulu partager avec elle. Pourtant il sera toujours sincère.

L'homme coq aimera la compagnie des femmes au milieu desquelles il pourra briller et parader, être aimable et faire sa cour. Cela n'ira guère plus loin. Il fera par contre peu de cas des sorties entre « copains de régiment ». Les hommes l'assomment.

La femme coq aimera la compagnie des autres femmes et les métiers qui la mettent en rapport avec elles.

Le coq sera heureux avec le buffle, familial et conservateur. Le serpent et lui pourront philosopher ensemble. En affaires comme en amour, le serpent lui apportera sa sagesse; mais qu'il prenne garde de ne pas briller trop fort, le coq pourrait le détruire.

Avec le dragon, le coq sera pleinement satisfait de réussir par personne interposée, surtout s'il est femme.

Pas de chat! Le chat supporte mal les fanfaronnades du coq et sa livrée voyante. Il le méprise.

Le coq aura des hauts et des bas pendant les trois phases de sa vie, tant financièrement que sentimentalement. Il passera de la pauvreté à la richesse, de l'amour idéal aux plus sordides problèmes affectifs. Sa vieillesse sera heureuse.

La sagesse populaire dit que deux coqs dans une même maison vous rendraient la vie impossible. Alors, Mesdames, l'année du coq (1969), espérons que vous avez pensé à la pilule, si vous aviez déjà un coq au foyer...

le chien

LE CHIEN, ce juste

1910	10 février	au	30 janvier 1911
1922	28 janvier	au	16 février 1923
1934	14 février	au	4 février 1935
1946	2 février	au	22 janvier 1947
1958	16 février	au	8 février 1959
1970	...		

LE CHIEN est un inquiet. Toujours sur la défensive, il ne se repose jamais. Sans cesse sur le qui-vive, il garde... Le chien est renfermé. Il ne s'extériorise que rarement et seulement quand il estime que c'est nécessaire. Il est têtu à l'extrême et sait ce qu'il veut. Souvent cynique, on le craint pour ses remarques acerbes et désagréables.

Le chien aura quelquefois tendance à se noyer dans les détails, à critiquer à tout propos et hors de propos, à chercher la faille d'une façon systématique. En réalité c'est un grand pessimiste et il n'attend rien de la vie.

Contre l'injustice, il réagit toujours avec courage. Il est un peu blasé, mais son esprit critique, son sens du ridicule et son indéniable grandeur d'âme le sauvent de la mesquinerie.

Cet être asocial déteste les rassemblements de foule. Sentimentalement il a l'air assez froid, mais cette apparence est trompeuse : il est seulement inquiet et il doute sans cesse de ses sentiments comme de ceux des autres. Malgré tous ces défauts, les traits les plus nobles de la nature humaine se trouvent réunis chez le chien. Loyal, fidèle, honnête, il a le sens profond du devoir. On peut compter sur lui. Il ne trahit pas. Mieux que quiconque il sait garder un secret. Sa discrétion est absolue. D'ailleurs il déteste les confidences en général, pour les faire comme pour les recevoir.

Sa conversation est banale et quelquefois même il s'exprime mal. Il est rarement brillant. Mais son intelligence est profonde et personne ne sait écouter comme lui.

Le chien inspire confiance et cette confiance est méritée. Il fait toujours son possible pour les autres et son dévouement peut aller jusqu'à l'abnégation. Les gens le tiennent en général en haute considération. Ils ont raison car il le mérite.

Tout le long de l'histoire, les champions de la justice ont toujours été des chiens. Toute injustice révolte le chien et il ne prendra pas de repos avant d'avoir tout fait pour y remédier. (Brigitte Bardot, née en 1934, a fait une campagne en faveur des animaux dans les abattoirs.) Le chien souffre qu'il y ait des pannes, des chômeurs, des guerres, des bombardements, il souffre de la faim dans le monde, il souffre pour ce qui s'est passé, pour ce qui se passe ou pour ce qui risque de se passer. Fort heureusement le chien se fait rarement le champion des causes stupides... car, grâce à son acharnement, il l'emporte presque toujours.

Ce philosophe, ce moraliste, cet homme de gauche, n'est pas intéressé par l'argent. Il est généreux et désintéressé. Qu'il soit chien de luxe ou chien des rues, il est toujours un peu « cloche » et se passe facilement du confort matériel. Même s'il en profite, il n'a pas le goût du luxe. Cependant, s'il se trouve qu'il ait un besoin urgent d'argent, il est mieux que personne apte à s'en procurer.

Ce chien loyal fera un bon leader dans l'industrie, un syndicaliste actif, un prêtre, un éducateur. Mais quel que soit son métier, il aura en lui un idéal profond et souvent original. Il saura manier les hommes si c'est nécessaire et les grandes nations seraient sages de s'attacher de tels hommes, car nul n'a comme eux une telle force de travail et une telle droiture alliées à si peu d'ambition personnelle.

En amour aussi le chien est honnête et lucide. Il aura tout le long de sa vie des problèmes sentimentaux. D'ailleurs, il les provoque lui-même par son instabilité et son inquiétude perpétuelle.

Le chien pourra être heureux avec le cheval qui lui laissera ses grandes causes en échange d'un peu d'indépendance. Avec le tigre, ils vivront ensemble de grandes aventures et combattront côte à côte au nom de la justice. Le chien se trouvera par la force des choses souvent allié avec le tigre, qu'il secondera très efficacement en restant dans l'ombre. Mais c'est avec le chat placide et serein que le chien pourra trouver une certaine paix.

Le dragon est trop orgueilleux pour accepter l'esprit critique et la causticité du chien. Et quant à la chèvre, c'est le chien qui ne supportera pas ses caprices. Il la trouvera intéressée et superficielle.

Les trois phases de la vie du chien seront sous le signe de l'instabilité. Enfance inquiète, jeunesse difficile, âge mûr blasé et défaitiste devant le travail à accomplir, vieillesse pleine de regrets de n'en avoir pas accompli suffisamment.

Le chien né le jour sera cependant plus tranquille que le chien né la nuit. C'est la nuit en effet que le chien garde la maison. Toujours sur le qui-vive, l'oreille aux aguets, il ne cessera pas d'aboyer pour éloigner les intrus et ne trouvera pas le repos. Une vie de chien...

le cochon

Ce bon vieux COCHON

1911	30 janvier	au	18 février	1912
1923	16 février	au	5 février	1924
1935	4 février	au	24 janvier	1936
1947	22 janvier	au	10 février	1948
1959	8 février	au	28 janvier	1960
1971	...			

CHEVALERESQUE (ce qui est le comble pour un cochon), galant, serviable, scrupuleux à l'excès, le cochon brandit toujours la bannière de la pureté. Vous pouvez lui faire confiance, il ne vous trahira pas et ne cherchera jamais à vous tromper. Il est naïf, confiant, sans défense. Bref, on pourrait dire que le cochon est « poire »...

En effet, il se laisse facilement berner, accepte ses défaites avec sérénité, et les défauts des autres avec tolérance. Toujours bon joueur, il n'a jamais l'esprit de compétition. Il est beaucoup trop impartial pour être sûr d'avoir raison et il se posera sans cesse des questions d'honnêteté et de loyauté sur ce qu'il peut et doit faire. Éperdument sincère, au point de se nuire, la mauvaise foi de ses adversaires le désarme complètement. Il ment rarement et seulement pour se défendre. Bien qu'intelligent, il n'est pas malin pour un sou, et le plus souvent il n'est même pas adroit. Impuissant contre l'hypocrisie, il s'enferre en essayant de se justifier. Il a beaucoup de rigueur et accepte rarement les compromissions.

Lui, qui croit tout ce qu'on lui dit, éprouve toujours le besoin d'apporter les preuves de ce qu'il affirme.

Le cochon est un joyeux compagnon en société, souvent un peu paillard. Il parle peu, mais, s'il se décide à parler, il lâche tout d'un coup et rien ne peut l'arrêter avant qu'il ait épuisé son sujet.

Comme le singe, le cochon est intellectuel et a une grande soif de connaissance. Il lit beaucoup, mais il lit n'importe quoi. Il paraît bien informé, mais ne l'est en réalité que superficiellement. Si on teste ses connaissances, on s'aperçoit qu'elles sont limitées. Un proverbe japonais dit que « le cochon est large de face mais étroit de dos... ». Malgré cela il est assez matérialiste. C'est un épicurien, souvent un sensuel.

Sous son air doux, le cochon cache beaucoup de volonté et même d'autorité.

Quels que soient son ambition, sa tâche et le but qu'il s'est fixé, il fait son devoir avec toute la force dont il est capable, et cette force est une force intérieure redoutable, à laquelle nul ne peut s'opposer. Quand un cochon a pris une décision, rien ne peut l'arrêter. Mais avant de la prendre, il pèsera longtemps le pour et le contre, ce qui peut donner l'impression qu'il hésite et ne sait pas ce qu'il veut. Il le sait parfaitement mais, pour éviter des complications, il lui arrive de réfléchir si longtemps qu'il nuit à sa cause.

Aussi, ne vous fiez pas à son apparente faiblesse, il est seulement pacifique.

Le cochon a peu d'amis, mais il les gardera toute sa vie et sera capable pour eux de grands sacrifices. Il est très attentionné pour ceux qui ont son affection. Les femmes de ce signe aiment faire des cadeaux et organiser de petites fêtes. Ce sont de bonnes hôtesses.

Le caractère du cochon est assez vif et il s'emballerait facilement s'il ne détestait se quereller ou même discuter. Il préfère en général céder ou faire semblant de changer d'avis et ne vous fera l'honneur d'une dispute que s'il vous aime. Il n'acceptera jamais le dialogue qu'avec ceux qu'il estime.

En conséquence, il n'est pas processif et sera prêt à toutes les concessions pour éviter un procès. Et il aura raison car, aussi bonne que soit sa cause, impulsif et honnête, il perdra toujours au profit de quelqu'un de moins scrupuleux *.

Le cochon pourra exercer tous les métiers, il s'y montrera consciencieux et travailleur. Grâce à sa sensibilité, il peut réussir dans certains arts, comme la poésie par exemple, ou la littérature. Mais il peut aussi mal tourner. Une de ses caractéristiques les moins sympathiques est que, s'il commence à se salir, il finira vautré dans la boue et se livrera à des excès de toutes sortes.

Au point de vue matériel, et quel que soit son milieu, il trouvera toujours ce qui lui est nécessaire pour vivre. On lui apportera du travail ou de l'argent sans qu'il ait besoin de faire de gros efforts. Tout le long de sa vie, on l'aidera et, grâce à cette aide, il pourra parvenir aux plus hautes sphères financières... La sagesse populaire dit qu'on lui apporte sa pitance quotidienne avec l'arrière-pensée de l'engraisser, pour le manger pendant les fêtes du Nouvel An. Qu'il fasse attention et ne fasse confiance à personne. On a tendance à abuser de sa naïveté.

Il en sera de même pour sa vie sentimentale. Il sera souvent dupe, souvent déçu, mais souvent aimé. La femme cochon sera une bonne mère.

* Nous laissons aux seuls Asiatiques la responsabilité de l'affirmation qu'il est préférable de n'être ni impulsif, ni honnête, ni scrupuleux pour gagner un procès...

Le cochon sera bien avisé de lier sa vie au chat. Ce sera pour lui le plus sûr moyen d'éviter la discussion.

Qu'il évite le serpent, car il en serait bientôt l'esclave. Le serpent s'enroulerait autour de lui jusqu'à ce qu'il ne puisse plus bouger.

La chèvre abusera de lui.

La première phase de sa vie sera relativement calme. Pendant la seconde, il aura tous les problèmes conjugaux possibles. Mais quels que soient ses malheurs, le cochon, discret et timide, ne fera pas appel à une aide extérieure. Il cherchera à s'en sortir seul. Sa discrétion lui sera souvent nuisible car personne ne soupçonnera ses souffrances sentimentales.

S'il est né longtemps avant les fêtes, il évitera bien des déboires, mais plus la date de sa naissance se rapprochera de celle du Nouvel An chinois, plus il sera trahi, bafoué, et risquera de finir mangé.

Peut-être peut-on trouver là le secret de la fameuse histoire des *Trois petits cochons*...

Des lunes bleues et des lunes rousses

NOUS avons eu la curiosité de rechercher les signes des hommes célèbres et cette recherche a donné des résultats parfois surprenants, parfois décevants. Il n'en reste pas moins que certaines coïncidences troublantes nous obligent à vous faire partager le fruit de nos recherches. Nous pensons qu'il faut toutefois tenir compte du caractère exceptionnel de la destinée des hommes qui ont su mettre en valeur les qualités de leur signe, ou qui se sont laissé détruire par leurs défauts.

Première constatation : le grand nombre d'écrivains célèbres nés sous ce signe. Nous pouvons, sans réfléchir, vous en citer dix-huit parmi les plus connus : Shakespeare, Boileau, Racine, Sainte-Beuve, George Sand, Béranger, Tolstoï, Daniel Defoë, Jules Verne, Daudet, Katherine Mansfield, Charlotte Brontë, Jules Renard, Sacha Guitry, Saint-Exupéry, Bernanos, Ionesco, Paul Bourget. Aucun autre signe ne présente un aussi grand nombre d'hommes de lettres, si ce n'est celui du serpent peut-être, qui semble s'être spécialisé dans les philosophes.

Voilà qui est encourageant pour nos rats en mal d'écrire. Plus étonnante parmi ces rongeurs est la présence de Mozart, d'Armstrong et de... Maurice Chevalier. Nous aurions également plus volontiers situé Charlotte Corday et Mata Hari parmi les tigres. Elles sont rats et bien rats, et sans doute sont-elles tombées dans les pièges qu'on leur avait tendus... Lucrèce Borgia, par contre, nous paraît très représentative du côté négatif de ce signe...

Autres rats : Churchill, Pablo Casals, Manuel de Falla, Bunuel, Himmler, Toulouse-Lautrec, marquise de Rambouillet, etc.

Les buffles ne font pas mentir leur réputation d'autorité et de sectarisme. En ce qui concerne les buffles célèbres, il suffit pour les reconnaître de remplacer le mot « famille » par le mot « nation ». Les grands hommes d'État, les grands hommes de guerre et les dictateurs sont de ce signe à la fois autoritaire et paternaliste. Napoléon (nous constatons que ses frères et sœurs sont le plus souvent des signes profiteurs du rat ou de la chèvre), Hitler, Salazar, Zapata, Vercingétorix, Geronimo, Clemenceau. A leurs côtés, plus sages, Henri IV, La Fayette, Louis XIII, Richard Cœur de Lion, Nehru.

LE BUFFLE

Parmi les femmes, la marquise de Pompadour semble correspondre à la femme buffle. Elle avait la réputation de savoir conduire sa maison.

Plus étonnante est la présence de Van Gogh, Cocteau, Rubens... bien que j'aie quelque facilité à les croire conservateurs.

Autres buffles : Bao Daï, Aristote, Chaplin, Makarios, Dante, Renoir, Malraux, J.-S. Bach.

LE TIGRE

Nous ne pouvons que nous incliner devant le caractère en général exceptionnel et accidenté de la vie des hommes et des femmes de ce signe. Parmi les femmes, nous trouvons Lola Montez, Isadora Duncan, Emily Brontë

LE

TIGRE

(les Hauts de Hurlevent) et Marylin Monroë. Toutes ces femmes sont mortes jeunes et dans des circonstances dramatiques. Parmi les hommes, Arthur Rimbaud, Bayard, Robespierre, Schumann, saint François Xavier (saint missionnaire) — quelques saints parmi les tigres. Nous en trouverons chez le chien, le dragon, le cochon. Peu chez le serpent, le chat et le cheval. Aucun à notre connaissance chez le buffle, le rat, la chèvre et le singe.

A côté de ces êtres à la vie accidentellement interrompue, quelques grands lutteurs : Clovis, Mazarin, Mahomet, Molotov, Ho Chi Minh, Louis XIV, Karl Marx, Eisenhower, le général Leclerc, Bolivar et de Gaulle... Quelques passionnés : Beethoven, Leconte de Lisle.

Autres tigres : Lyautey, Marco Polo, saint Dominique, Mistral, Tristan Bernard, Tibère, Agnès Sorel, Paul Raynaud, Mallarmé, Lindberg, Maître Floriot.

LE

CHAT

Les chats ont leur chance en politique : Fidel Castro (dont il est difficile de dire qu'il ne supporte pas les situations exceptionnelles), Trujillo, la reine Victoria, Staline, Catherine de Médicis, Bourguiba. Ils peuvent aussi être des philosophes, des théologiens : Confucius, Luther, Bossuet, Malherbe, Fénelon.

Marie-Antoinette, Marie-Louise, Anne Boleyn, Eva Peron, Garibaldi, ont-ils supporté leur situation exceptionnelle? Il est permis de croire que, nés sous un autre signe, leur destinée eût été différente et aurait pu tourner à leur avantage...

LE CHAT

Autres chats : Champlain, Pirandello, saint François de Salles, Einstein, Orson Welles, Toscanini, Arthur Miller, Stendhal, Simenon.

LE DRAGON

Nos dragons ont presque toujours quelque chose de trop brillant, de chimérique. Les grandes comédiennes célèbres du passé sont dragons : Sarah Bernhardt, Rachel, Marie Pickford, Réjane. A côté d'elles, tenant leur réussite à pleines mains : Bernard Buffet, Salvador Dali, Freud, Charles Perrault, Edmond Rostand et Jeanne d'Arc. Dans toutes ces réussites subsiste quelque chose d'antinaturel, de trop éclatant, de trop facile, qui nous fait penser à cet animal de parade qu'on brûle pour les fêtes du Têt.

Nous sommes étonnés de trouver Jésus-Christ parmi eux... Mais peut-être n'est-il pas né, comme on le suppose, quatre ans avant Jésus-Christ (ce qui faisait dire à un de mes amis que c'était un imposteur...).

Autres dragons : J.-J. Rousseau, Bernard Shaw, Danton, Apollinaire, sainte Bernadette,

LE DRAGON

Tito, Abd el-Kader, Napoléon III, Ben Bella, Clément Marot, Pétain, Gabin, Mitterrand.

LE SERPENT

C'est parmi les serpents qu'on trouve les savants, les philosophes, les sages : Copernic, Darwin, Montaigne, Montesquieu, Calvin, Gandhi, Mao Tsé-toung; des romanciers : Flaubert, Gide, Benjamin Constant, Edgar Poe; des femmes belles : la reine Astrid, la Montespan; des idéalistes : saint Vincent de Paul, Louis Braille, Lincoln, Baden-Powell, Jean XXIII, Jules Moch. Mais il faudrait connaître leur intimité pour savoir de façon certaine qu'ils sont fidèles à leur signe...

D'autre part, Kennedy et la reine Astrid seraient-ils nés un jour de tempête?

Autres serpents : Picasso, Vidocq, Vigny, Schubert, Nasser, Guy Mollet, Paul Bert, Baudelaire, Brahms.

LE CHEVAL

Cicéron, Rembrandt, Corneille et Davy Crockett sont des chevaux de feu.

Charlemagne, Roosevelt, Khrouchtchev, Huxley, Herzog, travailleurs, populaires, sanguins et égoïstes, sont nés sous le signe du cheval. A leurs côtés — et c'est plus étonnant : Pasteur.

On dit que le cheval peut — par amour —

remettre sa vie en question... La Brinvilliers a empoisonné par amour. Édouard VIII a abdiqué...

Autres chevaux : le roi Baudouin, Delacroix, René Coty, Courteline, André Chénier, Musset, Newton, Michelet, Georges Braque, du Bellay, Buffalo Bill.

LE CHEVAL

Beaucoup d'acteurs et d'artistes parmi les chèvres fantasques, artistes et influençables : Douglas Fairbanks, Rudolph Valentino, Eleonora Duse, Tino Rossi, Françoise Arnoul, Georges Ulmer, Jouvet, Laurence Olivier... Michel-Ange a vécu grâce aux mécènes et Balzac bien souvent grâce à la générosité de sa mère. Diane de Poitiers fut courtisane...

Nous trouvons aussi — et c'est plus subtil : John Ford, Mussolini, Colbert, César Borgia.

Autres chèvres : Théophile Gautier, Cervantès, Clouzot, Pierre Laval, Lucien Bonaparte, l'Aiglon, Mendès-France.

LA CHÈVRE

Nous sommes obligés de constater que le plus grand nombre d'hommes politiques sont nés sous le signe du singe : Johnson, Edgar Faure, Poincaré, Daladier, Truman, Jules César, Jean Lecanuet, Édouard Herriot, Chamberlain, Cinq-Mars, Vincent Auriol... Le Sire de Joinville était singe. De même

LE SINGE

LE
SINGE

Blanche de Castille, Ninon de Lenclos et Louise de Lavallière (Louis XIV était tigre) sont singes. Nous y trouvons aussi trois peintres : Léonard de Vinci, Gaughin, Modigliani; huit écrivains ou poètes (le singe est intellectuel) : Milton, Byron, Dickens, Duhamel, Alexandre Dumas, Coppée, Jules Laforgue, Ronsard.

Nous y trouvons aussi le marquis de Sade...

Ont-ils tous une mémoire prodigieuse, un charme redoutable, de l'esprit, une conscience élastique? Nous constatons cependant que la plupart ont eu une mort solitaire...

Autres singes : Flaherty, Buster Keaton, Lulli, Capitaine Cook, Michèle Morgan.

LE
COQ

Les coqs aiment porter l'uniforme et parader, c'est bien connu... Richelieu, Gœbbels, Kléber, le général Boulanger, La Pérouse et... Raymond Oliver ne font pas mentir leur signe.

Nous pouvons aussi retrouver certaines de ces caractéristiques chez Thiers, Marie de Médicis, Casimir Périer, Gabrielle d'Estrées, Paul VI.

Autres coqs : Mauriac, Maurois, Faulkner, Wagner, Mme Récamier, Descartes, Kipling, La Fontaine, Colette et Clyde (le héros de *Bonnie and Clyde* était né en 1909. Il nous paraît caractéristique...)

C'est bien ici que nous trouvons les champions de la justice. Bertolt Brecht, Lacordaire, Lénine, saint Rémi, Voltaire, Socrate, Molière, Eisenstein, Léon Blum, Mme Rolland, saint Camille, Gambetta, Saint-Louis...

LE CHIEN

Que dire de plus? Caractère inquiet, cynisme, remarques acerbes, lucidité, désintéressement, tout y est, présenté de différentes façons.

La présence de Raspoutine parmi les chiens n'est pas sans nous étonner... Mais que savons-nous?

Autres chiens : Mme de Staël, Proust, Maeterlinck, Gagarine, Franklin, Feydeau, Maupassant, Louis XVI, Eugénie de Montijo, Gay Lussac, Aristide Briand, J.-L. Barrault, Arletty...

LE COCHON

Quant à ce bon vieux cochon, il ne fait pas mentir sa réputation d'être à l'abri du besoin. Le premier Rockefeller, le premier Rothschild et Ford sont nés sous le signe du cochon. Saint Ignace de Loyola, qui a fondé l'ordre des Jésuites, était également « cochon ».

A leurs côtés, Georges Bidault, Villon, Federico Garcia Lorca, le docteur Schweitzer font bonne figure en hommes de bonne volonté souvent un peu bernés, un peu bouc émissaire, un peu perdants... Intelligents, fermes et autoritaires aussi, comme Pascal, Le Corbusier, Foch, Pompidou, Paul-Henri Spaak, Marcel Achard. Ceux dont l'amitié reste fidèle jusqu'au sacrifice : Fersen. Et ceux qui se roulent dans la boue pour s'être un peu salis : Henry VIII, Bismarck, etc.

Tous sont à l'abri du besoin et sont bons.

Autres cochons : José-Maria de Heredia, Cromwell, Buffon, Mme de Maintenon, Jacques Cartier, Audiberti, Françoise Sagan.

Nous livrons le résultat de ces recherches à vos réflexions. Recherchez vous-mêmes les signes de vos idoles, des hommes célèbres que vous admirez le plus, de vos amis. Essayez d'en savoir davantage sur les noms que je vous livre... Pensez au mois de la naissance puisque le soleil a aussi son mot à dire pour les signes du zodiaque.

Amusez-vous bien! Le soleil a rendez-vous avec la lune...

Conclusion

CES HOROSCOPES sont aussi anciens que les nôtres et jouissent de la même réputation dans les pays asiatiques que les signes du zodiaque dans notre pays.

Pendant des siècles, sept cent millions de Chinois ont bâti leur vie sur les prévisions de leur horoscope et en particulier sur celles que donnait l'Almanach impérial. Chaque année, en effet, des devins spécialisés y prédisaient l'avenir de chaque signe, avec précision, ainsi que le déroulement de l'année. Cet Almanach comprenait aussi des prévisions météorologiques, des interdits, des formules pour se concilier les esprits, des recettes de médecine, de magie... et de cuisine!

Il était en tout cas très connu que certains signes étaient incompatibles et les interdits étaient tellement sévères qu'on ne mariait pas un tigre avec un buffle, un cheval avec un rat, etc. Ces croyances avaient même des répercussions sur la vie de famille, les amitiés, les affaires, la politique... Que d'amours brisées, que d'affaires ratées, que de carrières politiques compromises à cause de ces horoscopes!

Comment auraient-ils pu subsister dans la Chine actuelle, pays de planification systématique? Mao les a interdits. Qu'il soit né sous le signe du serpent nous laisse rêveurs...

Mais puisque nous ne sommes pas Chinois, nous pouvons nous amuser à ce grand jeu qui, paraît-il, a fait ses preuves.

Ne faites pas d'affaires, ne commencez ni une amitié ni une aventure sans consulter ces tableaux... Mais surtout n'en faites qu'à votre tête... puisque de toute façon vous n'irez pas contre votre destinée.

Et si vous attachez également de l'importance aux signes du zodiaque, rien ne vous empêche de conjuguer les deux horoscopes. Peut-être vous y reconnaîtrez-vous.

Annexes

Le calendrier vietnamien

L'année 1970 sera la 4607e année du calendrier lunaire qu'ont adopté en 2637 avant Jésus-Christ les Sino-Vietnamiens. Ce calendrier compte par cycles de soixante ans et se trouve actuellement dans le 77e cycle qui a débuté en 1924 et se terminera en 1984. Chaque année de trois cent cinquante-cinq jours est placée sous le signe d'un des douze animaux du « zodiaque » oriental. Concurremment, on compte six séries de dix années par cycle.

Soit, par exemple, l'année chrétienne 1900. Le jour correspondant au Têt de l'année cyclique (dernière colonne) : Cauh-Ti' (septième rat dans le cycle de soixante, divisé en six séries de dix, c'est-à-dire n° 37 du cycle) est le 31/1 (31 janvier). La colonne du milieu m *indique si l'année vietnamienne est avec ou sans mois intercalaire. Le nombre indiqué est le numéro du mois lunaire doublé.*

Année chrétienne			*Année vietnamienne*		
A	J	M	*m*	SIGNE	N°
1900	31	1	8^{e}	7e rat	37
01	19	2		8e buffle	38
02	8	2		9e tigre	39
03	29	1	5^{e}	10e chat	40
04	16	2		1er dragon	41
05	4	2		2e serpent	42
06	25	1	4^{e}	3e cheval	43
07	13	2		4e chèvre	44
08	2	2		5e singe	45
09	22	1	2^{e}	6e coq	46
1910	10	2		7e chien	47
11	30	1	6^{e}	8e cochon	48
12	18	2		9e rat	49
13	6	2		10e buffle	50
14	26	1	5^{e}	1er tigre	51
15	14	2		2e chat	52
16	3	2		3e dragon	53
17	23	1	2^{e}	4e serpent	54
18	11	2		5e cheval	55
19	1	2	7^{e}	6e chèvre	56
1920	20	2		7e singe	57
21	8	2		8e coq	58
22	28	1	5^{e}	9e chien	59
23	16	2		10e cochon	60
24	5	2		1er rat	1
25	25	1	4^{e}	2e buffle	2

Année chrétienne			*Année vietnamienne*		
A	J	M	*m*	SIGNE	N°
26	13	2		3e tigre	3
27	2	2		4e chat	4
28	23	1	2e	5e dragon	5
29	10	2		6e serpent	6
1930	30	1	6e	7e cheval	7
31	17	2		8e chèvre	8
32	6	2		9e singe	9
33	26	1	5e	10e coq	10
34	14	2		1er chien	11
35	4	2		2e cochon	12
36	24	1	3e	3e rat	13
37	11	2		4e buffle	14
38	31	1	7e	5e tigre	15
39	19	2		6e chat	16
1940	8	2		7e dragon	17
41	27	1	6e	8e serpent	18
42	15	2		9e cheval	19
43	5	2		10e chèvre	20
44	25	1	4e	1er singe	21
45	13	2		2e coq	22
46	2	2		3e chien	23
47	22	1	2e	4e cochon	24
48	10	2		5e rat	25
49	29	1	7e	6e buffle	26
1950	17	2		7e tigre	27

1948
1960
1972
1984
ETC.

L'année du rat

Faites des économies pour les années à venir. C'est une année favorable aux conserves, aux confitures, aux achats, aux prêts, aux emprunts et aux investissements. Apparemment bonne financièrement, elle cache la possible misère des années à venir.

Politiquement, surprise... Accusation, condamnation...

Année favorable à la littérature.

Si votre enfant naît l'année du rat, il sera plus heureux s'il naît en été.

LE RAT

Il sera protégé. Heureux en affaires comme en amour. Et s'il a écrit un roman, qu'il le présente à un éditeur avant la fin de l'année.

LE BUFFLE

Il doit profiter de l'année pour mettre de l'argent de côté. L'année lui sera à tout point de vue favorable.

LE TIGRE

Il n'a que faire de la prévoyance. Cette année lui paraîtra ennuyeuse. Elle ne lui apportera rien.

LE CHAT

Qu'il soit prudent dans ses affaires et se méfie de ses amis. Ce peut être pour lui l'année de la trahison.

LE DRAGON

Cette année lui sera favorable. Il saura en profiter pour faire des investissements... Souhaitons-lui un amour de rat.

LE SERPENT

Un peu trop agitée pour le serpent, cette année ne lui sera pas défavorable pour autant. Il est si sage!

LE CHEVAL

Mauvaise année pour lui. Le rat fera tout pour lui nuire. Prudence! en amour comme en affaires...

LA CHÈVRE

Qu'elle reste à la campagne et compte sur les économies des autres car elle ne saurait en faire...

LE SINGE

Excellente année pour lui. Tout lui réussira. Et si un rat tombe amoureux de lui il sera le plus heureux des singes.

LE COQ

Attention aux mauvaises affaires... Il aura tendance à mettre tous ses... œufs dans le même panier.

LE CHIEN

Les investissements ne l'intéressent pas s'ils ne présentent pas un intérêt supérieur... Il s'ennuiera.

LE COCHON

Il fera d'excellentes affaires et peut rencontrer l'amour... Année de meilleur cru pour lui.

1949
1961
1973
1985
ETC.

L'année du buffle

Trop de travail pour tout le monde. On se tue à la tâche. Cultivez votre jardin, achetez une ferme, améliorez la vôtre.

Risque de dictature. Les conservateurs l'emportent en général...

Année favorable à l'agriculture. Il n'y aura ni grêle, ni sécheresse, ni humidité, ni invasion de sauterelles. Le paysan peut dormir tranquille. Né en hiver, le buffle aura moins à travailler pour vivre. Souhaitez à votre petit buffle de naître de novembre à mars...

LE RAT

Le rat a bien fait d'économiser l'année précédente... car il n'aime pas le travail.

LE BUFFLE

Excellente année. Son travail sera récompensé... Et il se sent rassuré par l'autorité. Qu'il fonde vite une famille s'il n'est déjà marié.

LE TIGRE

La plus mauvaise année pour le tigre. Qu'il n'entreprenne rien et ne coure aucun risque.

LE CHAT

L'un dans l'autre et avec beaucoup de diplomatie, il s'en sortira sans dommage.

LE DRAGON

Le dragon supporte mal l'autorité exagérée... Il est assez fort pour lui résister, cependant.

LE SERPENT

Trop paresseux pour l'année du buffle... Qu'il attende que ça passe.

LE CHEVAL

Bonne au point de vue affaires cette année sera décevante en amour.

LA CHÈVRE

Bigrement sale année pour la chèvre. On peut aimer la campagne sans aimer l'agriculture.

LE SINGE

Tout va bien. Il servira d'intermédiaire, il se débrouillera... Le buffle l'a « à la bonne »...

LE COQ

Il sera heureux, il rira sous cape, il triomphera... Et tant pis s'il doit travailler. Il sait travaillller...

LE CHIEN

Très mauvaise année. Il complotera. Il préparera s'il le faut une révolution et prendra des risques.

LE COCHON

Bien que d'esprit critique, le cochon s'adapte... Mais il est préférable de ne pas le mettre en colère.

1950
1962
1974
1986
ETC.

L'année du tigre

Cette année ne sera pas de tout repos. Envisagez un changement de vie, mais soyez prudent.

Politiquement, grand changement en perspective. Coup de théâtre politique. Révolution. Perspective de guerre. Catastrophe.

Année favorable aux changements, à l'action.

Si votre petit tigre naît entre le lever et le coucher du soleil, il jouira de la protection de la lumière...

LE RAT

Il ne se sentira pas en sécurité. Qu'il se mêle de ce qui le regarde... et laisse aux tigres les épopées...

LE BUFFLE

Le buffle sera inquiet, furieux et dangereux. Il restera le plus souvent chez lui en attendant des jours meilleurs.

LE TIGRE

Il peut faire ce qu'il veut. Il a de la chance. Qu'il entreprenne de grandes choses... Il est protégé.

LE CHAT

Notre homme tranquille n'aime pas les changements qui viennent troubler sa quiétude...

LE DRAGON

Ça ne lui déplaît pas. Il trouvera bien une occasion de briller... et de se faire décorer.

LE SERPENT

Que la vie est fatigante! Mais de tout cela il tirera une leçon...

LE CHEVAL

Profitera probablement de cette année pour quitter ses parents ou se séparer de son conjoint... Quelque chose changera de toute manière...

LA CHÈVRE

Comment se fait-il qu'on s'occupe tant de changer le monde et si peu d'elle!... Elle sera triste.

LE SINGE

Il vivra cette année en spectateur amusé... Il a le sentiment de l'inutilité des actes.

LE COQ

Tout change... Comme c'est difficile... Comme c'est désagréable... Comme cette année est dure...

LE CHIEN

Enfin l'occasion de se dévouer. Le chien se sentira dans son élément. Il sera heureux.

LE COCHON

Changer... Il s'adapte... Et comme il est généreux il ne déteste pas les révolutions.

1951
1963
1975
1987
ETC.

L'année du chat

Cette année sera tranquille en apparence. Reposez-vous car l'année prochaine risque d'être mouvementée. Donnez des réceptions. Lisez et bavardez au coin du feu...

Cette année fera la joie des diplomates. On envisagera des changements, surtout dans la magistrature.

Année favorable aux hommes de loi, à la justice...

L'enfant né ces années sera heureux et tranquille surtout s'il naît en été.

LE RAT

Qu'il soit prudent. Le chat l'attend au tournant. Mieux vaut qu'il ne se fasse pas remarquer.

LE BUFFLE

Ce n'est pas l'idéal, mais ça va déjà mieux. On peut travailler en paix...

LE TIGRE

Qu'il en profite pour se reposer. Le chat ne lui veut aucun mal.

LE CHAT

Quelle bonne année au coin du feu... Aucun problème. S'entourer d'amis... Faire de bonnes affaires...

LE DRAGON

Le chat n'empêche pas le dragon de briller, au contraire... Ça le distrait...

LE SERPENT

Ouf! Il va goûter un repos bien gagné et penser à l'amour... Il aura du succès.

LE CHEVAL

Bonne année. Amour, travail, mondanités... et peut-être un peu de politique.

LA CHÈVRE

Enfin on s'occupe d'elle, on l'invite, on apprécie sa compagnie! Très bonne année pour elle.

LE SINGE

Il fera d'excellentes affaires. L'année lui sera à tout point de vue favorable.

LE COQ

Un peu traumatisé par l'année précédente, il restera sur la défensive et n'entreprendra rien.

LE CHIEN

Il se reposera. Il sera même presque joyeux. Le chat lui apporte la paix. Il devrait en profiter pour se marier.

LE COCHON

Tout irait bien s'il n'y avait pas de procès dans l'air... Qu'il l'évite à tout prix, même s'il doit y laisser des plumes...

1952
1964
1976
1988
ETC.

L'année du dragon

Soyez ambitieux et entreprenant, allez de l'avant... Année épuisante. Année brillante. Décoration. Grande fête. Victoire (ou défaite) spectaculaire...

Attention aux incendies.

Année favorable aux réussites brillantes, que ce soit à la guerre ou dans un autre domaine, comme le domaine politique... Mais ces réussites sont en général illusoires.

Si votre enfant naît dragon, vous n'aurez pas à vous en faire pour lui... sauf s'il naît un jour d'orage... Alors, attention!

LE RAT

Cette année convient au rat. Il fera de bonnes affaires et sera sans inquiétude.

LE BUFFLE

Rassuré par le faste, il croira le bon temps revenu... Mais ce n'est qu'illusion... Qu'il travaille donc!

LE TIGRE

Il y trouvera aussi son compte. L'année du dragon a du panache. Il aime ça!

LE CHAT

Considérera cette agitation avec amusement. Il restera chez lui et fera des affaires...

LE DRAGON

Heureux comme un poisson dans l'eau... C'est l'année de sa réussite.

LE SERPENT

Sa sagesse lui dit de ne pas s'inquiéter de ce remue-ménage. Tout est calme, tout va bien. La vie lui sourit...

LE CHEVAL

L'année ne sera pas mauvaise pour le cheval. Il aime la parade... Il aura de grandes satisfactions.

LA CHÈVRE

De bric et de broc, elle profitera de toute cette brillance et s'en trouvera bien...

LE SINGE

Comme il s'amuse!... Son rôle sera primordial car le dragon a toujours besoin de lui.

LE COQ

Il pourra faire le joli cœur tout à son aise. Cette année lui convient. Qu'il se marie.

LE CHIEN

Tout cela l'exaspère et lui paraît inutile. Il sera maussade. Il se tiendra à l'écart.

LE COCHON

Persuadé qu'on peut vivre plus « vrai », le cochon trouvera refuge au milieu de ses amis. Ce faste l'ennuie. Il fera de bons repas et grossira.

1953
1965
1977
1989
ETC.

L'année du serpent

Méditez, paressez, flirtez... C'est l'année la plus favorable à l'adultère... Profitez-en... Les huissiers feront chou blanc.

Grande sagesse politique. On trouve des solutions à tous les problèmes.

Année favorable aux grandes découvertes, aux penseurs et aux philosophes... On les écoute. On les encourage.

Si votre enfant naît serpent, plus il fera chaud le jour de sa naissance et plus il sera heureux.

LE RAT

Les affaires ne marcheront pas. Qu'il en profite pour écrire. Il le peut toujours et cette année est favorable aux penseurs.

LE BUFFLE

Il aura probablement des ennuis conjugaux... et familiaux. Qu'il se garde de la violence! Ne pas se marier l'année du serpent.

LE TIGRE

Il devrait partir en voyage et à la découverte de quelque peuplade ignorée, de ville engloutie... Qu'il ne reste pas inactif!

LE CHAT

Bonne année... On pense, on philosophe, on écrit peut-être... Et les vicissitudes conjugales ne l'atteignent pas...

LE DRAGON

Tout va pour le mieux. Il continue à briller de tous ses feux sous l'œil tranquille du serpent.

LE SERPENT

C'est son année... Il peut tout faire, il ne court aucun risque. Il vivra de belles aventures amoureuses...

LE CHEVAL

Encore une fois il pourra tout laisser par amour... Mais il aurait tort car les amours de l'année du serpent sont de courte durée...

LA CHÈVRE

Elle s'amusera bien, s'intéressera à beaucoup de choses... et même aux cancans, qui seront nombreux.

LE SINGE

Il y trouvera sa place. Il est tellement utile! Cet arriviste se rend même indispensable.

LE COQ

Il sera intéressé... Peut-être aura-t-il aussi un problème familial à résoudre.

LE CHIEN

Il sera de ceux qui s'occupent des penseurs, des philosophes et des découvertes... Il ne sera pas malheureux.

LE COCHON

Heureux en argent, malheureux en amour... L'année du serpent lui apporte en général beaucoup de problèmes sentimentaux.

1954
1966*
1978
1990
ETC.

L'année du cheval

Du travail pour tout le monde... Pensez à vous. Participez aux réunions, aux meetings, faites de la politique, du sport, du théâtre...

Quoi qu'il arrive, la diplomatie l'emportera... Il y aura des revers politiques sans gravité, des remous, des démissions, des colères et peut-être des scandales... Tout finira par s'arranger.

Année favorable aux performances.

Le cheval a intérêt à naître en hiver.

* 1906, 1966 : années du cheval de feu.

LE RAT

Année catastrophique pour le rat, à tout point de vue. Il fera des dettes.

LE BUFFLE

Tout s'arrange pour lui. Son travail devient lucratif. Qu'il en profite.

LE TIGRE

Qu'il entreprenne quelque chose... Il faut qu'il s'occupe. Il n'est pas en danger.

LE CHAT

Cette année ne lui déplaît pas... Elle est assez calme en somme, et c'est un mondain... alors...

LE DRAGON

Il trouvera bien l'occasion de se mettre en avant...

LE SERPENT

Attention aux déboires amoureux. Cette année est trop

passionnée pour lui et il lui faudra toute sa sagesse pour s'en tirer.

LE CHEVAL

Contrairement aux autres signes, cette année n'est jamais bonne pour le cheval. Quant à l'année du cheval de feu, elle peut être tragique.

LA CHÈVRE

Bonne année. Tout cela l'amuse, lui plaît, lui convient.

LE SINGE

Bien que n'aimant pas les performances, il trouvera bien un job rémunérateur...

LE COQ

Tout va bien. Ces péripéties l'amusent dans la mesure où elles ne menacent pas sa sécurité.

LE CHIEN

Agacement... Il voudrait foncer dans le tas, mais il ne croit pas assez en la réussite...

LE COCHON

Il s'organise. Mais les ennuis sentimentaux continuent. Période défavorable.

1955
1967
1979
1991
ETC.

L'année de la chèvre

Passez-vous quelques caprices, allez à la campagne, entourez-vous d'amis...

Politiquement et financièrement, on frôlera la catastrophe... Mais on parviendra à sauver la face et l'équilibre sera maintenu de bric et de broc malgré un certain manque de sagesse et de compétence.

Année favorable aux artistes en général et aux comédiens en particulier.

Le sort sera en général favorable aux chèvres nées un jour sans pluie.

LE RAT

Il va commencer à remonter la pente et pourra se consacrer à l'art, avec succès.

LE BUFFLE

Mauvaise année. Il sera inquiet et maussade.

LE TIGRE

Qu'il recommence son tour du monde... c'est sa seule chance...

LE CHAT

Les petits déboires de l'année de la chèvre ne menaçant pas sa quiétude, il sera heureux.

LE DRAGON

Une année de repos! Il ferait bien de se tenir à l'écart de toute cette incompétence.

LE SERPENT

Sa sagesse supportera difficilement toute cette folie... Il en oubliera de courir le guilledou...

LE CHEVAL

On ruera beaucoup dans les brancards, mais comme ça va mieux!

LA CHÈVRE

Tout est parfait. On s'occupe d'elle et elle se sent promise à un brillant avenir... Qu'elle en profite.

LE SINGE

Il intriguera, jouera sur les deux tableaux et s'amusera bien...

LE COQ

« Pincez-moi, je rêve! » Une telle situation lui paraît impossible. Il se fait beaucoup de souci.

LE CHIEN

Il est passé de l'agacement à l'exaspération. Il risque de se retirer et de finir dans la solitude s'il est vieux.

LE COCHON

Il est plein d'espoir. Tout cela lui paraît sans importance. Financièrement tout va bien et sentimentalement tout va mieux.

1956
1968
1980
1992
ETC.

L'année du singe

On peut s'attendre à tout et surtout à l'inattendu... Prenez des risques, tout s'arrangera... Le singe sait s'arrêter à temps... Ne soyez ni sage, ni réfléchi, c'est inutile. Votre raison ne vous sortira pas d'affaire...

Ces années réservent toujours quelques facéties... Tout peut arriver... Changement de politique, révolutions, émeutes, voire barricades... Le singe s'amuse. C'est la pagaïe, l'anarchie et personne ne s'ennuie.

Années favorables aux idées nouvelles, profitez-en.

Le petit singe sera bien avisé de naître en été.

LE RAT

Les facéties l'amusent. Notre rat retrouve enfin l'équilibre et le bonheur... Les efforts portent leurs fruits. Qu'il se marie cette année.

LE BUFFLE

Très mauvaise année. Il aura peur et se sentira menacé. Il déteste l'imprévu.

LE TIGRE

Il croira que c'est arrivé et consacrera toutes ses forces à la réussite des nouvelles idées... Mais le singe rit sous cape...

LE CHAT

Il ne s'inquiétera pas outre mesure... Il prend le singe pour ce qu'il est. Il attendra que ça passe.

LE DRAGON

Il se mettra en avant quitte à le regretter... Il n'aime pas qu'on se moque de lui.

LE SERPENT

Sa sagesse grimace, il se moque... Mais il est capable de participer, pour voir... Il est curieux.

LE CHEVAL

Tout cela est assez amusant en somme... On fera de la politique... sagement. Tout en préservant ses arrières...

LA CHÈVRE

On ne s'occupe plus d'elle... Tout cela serait amusant... si seulement on se réunissait à la maison... Elle participera par jeu.

LE SINGE

Il jubile... Il ne se « mouillera » pas... ou pas longtemps Mais que cette pagaïe est amusante vue de l'extérieur!...

LE COQ

Il voudra agressivement rétablir l'ordre et brandira des mots creux et « sa » morale. Il sera capable de courage et de dévouement.

LE CHIEN

Comme le tigre, le chien croira que c'est arrivé. Il foncera. Il en sortira compromis mais prêt à recommencer.

LE COCHON

D'un côté ou de l'autre, il fera ce qu'il croit bien avec enthousiasme. Ses affaires sentimentales s'arrangent pour le mieux. Il retrouve sa joie de vivre.

1957

1969

1981

1993

ETC.

L'année du coq

Année dure... Il vous faudra travailler dur pour vivre. Risque de chômage. L'argent ne vous tombera pas dans le bec sans efforts...

Le coq ne « rigole » pas avec le désordre. Réaction. Abondance d'uniformes au nom de l'ordre, mais en fait par goût. Parade militaire. Décoration. Risques d'abus.

Année favorable aux carrières militaires... C'est le moment de demander la Légion d'honneur.

Né au printemps votre petit coq sera moins agressif.

LE RAT

Tout va bien pour lui. Les changements qui interviennent dans la société le touchent rarement. Il pense surtout à jouir de la vie.

LE BUFFLE

Ouf! on respire... Comme il se sent rassuré le buffle... Il se remettra à l'ouvrage avec ardeur.

LE TIGRE

Il sera déçu et malheureux... Cette année sera celle de la vraie révolte. Il continuera à combattre.

LE CHAT

Tout cela l'agace un peu car il trouve le coq et ses parades ridicules. Farouchement antimilitariste, il passera une mauvaise année.

LE DRAGON

Comme toujours il trouvera l'occasion de briller... mais sa raison le retiendra d'agir.

LE SERPENT

Année dure... Paresseux, il devra faire des efforts pour survivre et il aura souvent des moments de découragement.

LE CHEVAL

Les arrières seront protégés... On se remettra au travail avec courage... Tout va bien.

LA CHÈVRE

Se refuse à travailler. Vivra cette année dans la bohème... Du moment que ça ne dure pas...

LE SINGE

Son année est finie... C'est moins drôle... Bien que les efforts du coq le réjouissent.

LE COQ

Quelle bonne année en perspective!... On pavoise chez le coq. Mais hélas il faut travailler pour vivre et l'année est dure... Heureusement que l'ordre règne...

LE CHIEN

Déçu, comme le tigre, il continuera la lutte en cachette. Cette année sera dure.

LE COCHON

Son travail rapportera beaucoup au cochon cette année
Tout va mieux pour lui. La vie est belle...

1958
1970
1982
1994
ETC.

L'année du chien

Vous serez inquiet pour votre avenir, pessimiste et sur la défensive. Mais aussi plein de bonne volonté et généreux.

Beaucoup de politique. Revirement en faveur de la liberté. Idéalisme. Possibilité de révolution.

Année favorable à la politique de gauche, aux grandes réalisations, aux actes généreux.

Il serait bon pour l'enfant chien de ne pas naître la nuit : sans cesse sur le qui-vive il resterait toute sa vie.

LE RAT

S'il ne s'occupe pas de ses amours mais de ses affaires, l'année sera bonne...

LE BUFFLE

Non, il n'est pas satisfait... Tout va mal... L'avenir s'annonce sombre et la « jeunesse d'aujourd'hui », eh bien! il faudrait la « mater »...

LE TIGRE

Inquiet mais entreprenant, plein d'ardeur... Les grandes causes peuvent compter sur lui...

LE CHAT

Il n'est pas tranquille non plus... Il prend ses précautions et fait un peu de politique...

LE DRAGON

Il peut tout faire... Il sera toujours prêt à agir, habile, généreux, parfait... mais...

LE SERPENT

Pour lui aussi c'est l'année de l'inquiétude... Il n'est sûr de rien... même pas de ses sentiments. Il aspire à autre chose mais il est trop paresseux pour agir...

LE CHEVAL

Trop égoïste pour s'inquiéter des autres, il travaillera avec acharnement à son bien-être personnel.

LA CHÈVRE

Mauvaise année... Chacun est trop préoccupé de lui-même pour songer à la chèvre. Elle se sent abandonnée.

LE SINGE

Trop intelligent pour être vraiment inquiet, il attendra la fin... de quelques difficultés financières.

LE COQ

Fini de parader... Il est anéanti. Il aura cette année de graves déboires financiers.

LE CHIEN

Il triomphe avec modestie... Il ne croit pas au Père Noël, mais il sait que chaque effort vaut la peine d'être fait.

LE COCHON

Ses finances se portent bien. Il n'est pas malheureux. Période paisible... Il approuve le chien mais participe peu à l'action.

1959
1971
1983
1995
ETC.

L'année du cochon

Tout va pour le mieux. On fait de bonnes affaires. L'argent rentre. On savoure la joie de vivre.

Abondance. Quelques ennuis d'ordre administratif.

Années favorables aux financiers comme aux intellectuels.

L'enfant sous le signe du cochon aura intérêt à ne pas naître juste avant le Têt... Car engraissé, comme les autres, il le serait par ceux-là mêmes qui ont l'intention de le manger pour les fêtes.

LE RAT

Tout va très bien. Il est heureux de vivre. Il fait des projets d'avenir.

LE BUFFLE

L'année pourrait être meilleure. Le travail abonde... Il a du mal à en venir à bout.

LE TIGRE

Il fait de bonnes affaires... De tout risquer lui rapporte... Pourvu que ça dure.

LE CHAT

Tranquillisé, il ronronne et retrouve ses amis. Ses affaires marchent bien. Il se sent en sécurité.

LE DRAGON

Il étincelle! Certes, il n'a jamais eu d'ennuis d'argent, mais cette année il fera de très bonnes affaires grâce à son habileté.

LE SERPENT

Rien n'est parfait... mais il en prend son parti. C'est un sage... Il attend une année d'un meilleur cru.

LE CHEVAL

Il aura de l'argent et pourra se payer ce dont il rêve depuis longtemps. Peut-être une voiture, peut-être un appartement...

LA CHÈVRE

La prospérité des autres lui apporte le bonheur tant elle sait en profiter... Inutile de lui recommander la prudence. Elle ignore le sens de ce mot.

LE SINGE

Finis les revers de fortune de l'année précédente. Les affaires reprennent. Il est déchaîné.

LE COQ

Beaucoup de travail! Il remonte la pente financière — péniblement. Il en a assez de « se crever pour rien »... Il reste conservateur, pourtant, contre son intérêt...

LE CHIEN

Il songera un peu à son bien-être, cette année, et à sa famille. Qu'elle en profite car ça ne durera pas...

LE COCHON

L'année lui appartient. Il réussira tout ce qu'il entreprendra. Il sera heureux en amour et en affaires. Il pourrait faire un héritage ou toucher une grosse somme inattendue...

Leurs petits métiers

LE RAT

Commerçant (brocanteur), voyageur de commerce. Fonctionnaire gros ou petit.
Comptable. Publiciste. Homme d'affaires.
Ou encore : musicien, peintre, écrivain.
Mais aussi : prêteur sur gage, courtisane, usurier, escroc et... critique!

LE BUFFLE

Ouvrier agricole, agriculteur. Mécanicien. Garagiste.
Ouvrier spécialisé, technicien, artisan.
Dessinateur et même architecte. Photographe.
Cuisinier. Hôtesse. Infirmière. Coiffeur.
Mécanicien-dentiste. Chirurgien.
Mais aussi : adjudant, dictateur... et flic.

LE TIGRE

Chef d'atelier, chef-parachutiste, chef-coureur automobile, chef-matador, chef-cascadeur, chef-explorateur, chef mercenaire, chef militaire, chef révolutionnaire, chef d'entreprise, chef d'État, chef de gang... et tout ce qui commence par chef, ainsi que : grand chef indien.

LE CHAT

Mannequin, couturier, modéliste, décorateur, antiquaire.
Commerçant (pharmacien). Réceptionniste.
Publiciste. Comédien.
Avoué, notaire, avocat, magistrat, juriste. Spéculateur.
Diplomate, ambassadeur... et rentier.

LE DRAGON

Acteur, artiste.
Commerçant. Industriel.
Architecte. Médecin. Avocat d'assises.
Gangster. Prêtre. Prophète.
Ambassadeur. Homme politique. Président-directeur général et... héros national.

LE SERPENT

Maître d'école, professeur.
Écrivain, philosophe, juriste, psychiatre.
Homme politique. Diplomate. Spéculateur.
Mais aussi : voyante, astrologue, cartomancienne, chiromancienne, arithmomancien, bélomancien, ostracomancien, etc.

LE CHEVAL

Ouvrier spécialisé, technicien. Cadre. Chauffeur de poids lourds.
Chimiste, physicien, géologue, etc.
Dentiste, médecin. Architecte.
Financier, diplomate, homme politique.
Peintre ou poète.
Aventurier, explorateur, cosmonaute.
Et même : barman ou coiffeur.

LA CHÈVRE

Artisan, technicien, jardinier.
Comédien. Artistes (théâtre, cinéma, photographie, littérature, poésie, peinture, musique, music-hall, etc.).
Mais encore : gigolo, courtisane, parasite, homme de paille, clochard.
Ou : retiré à la campagne... chez des amis.

LEURS PETITS MÉTIERS

LE SINGE

N'importe quoi avec succès s'il veut s'en donner la peine.
Spéculateur génial, homme d'affaires redoutable, écrivain célèbre, cinéaste... à la mode, commerçant avisé, diplomate subtil, homme politique habile.
Mais aussi : escroc irrésistible.

LE COQ

Garçon de café, cuisinier, patron de bistrot.
Représentant, relations publiques.
Esthéticienne, coiffeur pour dames. Dentiste, chirurgien.
Et aussi : rond-de-cuir, militaire, pompier, gardien-veilleur de nuit, gendarme.
Mais encore : garde du corps, gorille, barbouze et... danseur mondain.

LE CHIEN

Syndicaliste. Industriel. Cadre.
Critique, éducateur, prêtre.
Écrivain, philosophe, penseur, moraliste, juriste, magistrat intègre, savant, médecin.
Homme politique désintéressé. Agent secret. Éminence grise.
Mais surtout : bras droit de politicien de gauche.

LE COCHON

Industriel, médecin, savant, architecte, cinéaste, écrivain, poète, peintre, homme d'affaires.
Mais aussi, amuseur public, soit : artiste de music-hall, clown, chansonnier, voire pétomane.

Amour Mariage	femme rat	femme buffle	femme tigre	femme chat	femme dragon	femme serpent
homme rat	Deux rats s'aimaient d'amour tendre... Que d'amour! Éviter le ridicule en général et « mon gros rat » en particulier.	Couple solide. La femme portera la culotte, mais, fidèle et réaliste, elle peut rendre le rat heureux.	Sans lendemain : la femme tigre rêve de grandes choses et le rat trottine et s'essouffle pour lui plaire.	Bien que femme tranquille, elle sera tentée de dévorer le rat. Rat pas « maso » s'abstenir...	Pourquoi pas? la femme dragon aime à être adulée. Et qui saura mieux l'aduler qu'un rat amoureux?	Elle sera heureuse.. mais souvent infi dèle; elle fera l malheur du rat.
homme buffle	Cent fois oui! De tout repos... Le rat pourra aimer en toute tranquillité.	Matérialistes et conservateurs, ils finiront par s'appeler « papa » et « maman ».	Cohabitation impossible, le buffle détruirait le tigre... La vie de cette femme serait vouée à l'échec.	Ça peut marcher. Ils ne sont pas assortis, mais la femme chat est patiente, diplomate et puritaine.	Conflit : la femme dragon aime briller et le buffle se méfie de ce qui brille...	Si la femme serpen parvient à cache ses amitiés extra conjugales, tou peut marcher. Ell s'y emploiera. Mais découvertes...
homme tigre	Hum!... Mais si le rat laisse partir le tigre à l'aventure rien ne s'oppose à ce qu'ils fêtent leurs noces de diamant.	A aucun prix. Ce serait la destruction du tigre. Qu'il s'en garde!	Même s'ils s'entendent... et c'est probable, toute cohabitation leur est déconseillée.	Rapports tendus, mais ils se comprennent et la femme chat peut tenir tête au tigre. Elle saura se moquer de lui et restera chez elle.	Deux puissances face à face. La femme dragon sera utile au tigre auquel elle apportera réflexion et prudence.	A éviter. Incom préhension totale e sans espoir. Sagess et enthousiasm font rarement bo ménage.
homme chat	Le rat sera en danger permanent ... puisque le chat aime à rester chez lui et résiste mal à la tentation de détruire le rat.	Oui... peut-être... pourquoi pas... ? l'homme chat se moque pas mal d'être commandé...	Difficile. La femme tigre est compliquée... mais l'homme chat est agile... et moqueur!	Pourquoi pas? s'ils n'ont pas d'enfants. Union idéale pour homosexuels... dans une boutique d'antiquités.	A la rigueur... si la femme dragon ne s'ennuie pas trop au coin du feu.	Pourquoi pas? I méditeront ensem ble. Et ces deu contemplatifs, au ront le loisir de s contempler.
homme dragon	Bien. Le rat sera utile au dragon, et le dragon lui en sera reconnaissant.	Non. Conflit perpétuel d'autorité. Et le dragon s'ennuiera.	Oui, malgré des heurts. Le dragon saura raisonner le tigre, qui écoutera ses conseils... même s'ils sont mauvais.	Très bonne union. Les qualités mondaines et la diplomatie du chat serviront l'ambition du dragon.	Un feu d'artifice! Ils seront perpétuellement en concurrence.	Très bonne unio Le dragon sera fie du charme de femme serpen même s'il s'exer en dehors de lui.
homme serpent	On peut courir ce risque, à la rigueur... le rat s'attache si aveuglément!	Oui. Le serpent laissera l'autorité au buffle, et il sera toujours discret... et présent!	Ils n'ont rien à voir ensemble. On se demande comment ils pourraient se plaire.	Heu, oui... en pantoufles (le comble pour un serpent!) et au coin du feu.	Difficile!... Orgueilleuse, la femme dragon veut être adorée, courtisée... non enchaînée.	Très compliqué flirts, aventures. et tentatives perp tuelles pour se neu traliser l'un l'autr

femme cheval	femme chèvre	femme singe	femme coq	femme chien	femme cochon
Des étincelles! Passion et sentiment. Divorce. Voire crime passionnel. A éviter.	Cahin-caha. Si le portefeuille du rat est bien garni, la chèvre sera satisfaite. Mais pas le rat, de la liberté qu'elle prendra avec ce portefeuille.	Le singe sera heureux avec le rat. Le rat est fasciné par le singe auquel il pardonne tout.	Hum! Mais le rat amoureux est patient... et bien que dépensière, la femme coq a des qualités....	Intéressant. Tout peut marcher si le rat n'est pas trop souvent à la maison. Le chien plane...	Bien. Jouisseurs et intellectuels à la fois, le rat et le cochon peuvent être heureux.
Difficile. Ils ne se comprennent pas. La femme cheval, indépendante et passionnée, aura peur du buffle. Elle souffrira.	Le buffle ne supporte pas la fantaisie et il ne veut à aucun prix... porter des cornes. Ils seront malheureux.	Le buffle aime le singe. Il lui fera beaucoup de concessions, mais il souffrira.	Accord parfait. Le coq brillera en paix... au sein de sa famille.	Des difficultés. Le chien est un révolutionnaire, le buffle un conservateur. Ils n'ont pas la même morale.	Le cochon supporte tout... sauf l'austérité. Et, à la longue, il trouvera toujours le courage de réagir.
Bien. La femme cheval pourra satisfaire son excès de assion et restera ndépendante. Le igre est si occupé!	Mauvais... Dans un moment de colère le tigre finira par la dévorer...	Difficile, mais possible si le tigre part à l'aventure. Elle saura toujours le charmer.	La femme coq sera dépassée par son tigre. Elle ne saura qu'en faire.	Ce sera bien. Ils partageront le même idéal et combattront ensemble. Ils en oublieront de s'aimer.	Le cochon comprend et estime le tigre. Le tigre risque de l'épuiser. Il est de taille à se défendre.
eut-être... si le heval ne s'en lasse as. Mais le chat eut rester un ami ompréhensif.	Bien. Le chat aime les fantaisies de la chèvre. Leur sens artistique les rapproche.	Amusant... mais souvent aux dépens des autres... Ils se plairont ensemble.	Le chat supporte mal le coq dans « sa » maison. Et la femme coq fera des scènes : elle veut sortir...	Tout ira bien s'il n'y a pas de guerre... Toute cause à laquelle la femme chien se dévouera rendra la vie impossible au chat!	Bien. Très bien... si le cochon évite les paillardises...
out va bien... ourvu que ça ure...	La chèvre peut être heureuse... mais non seulement elle n'aidera pas le dragon à réussir, mais elle lui sera nuisible. Elle s'en fiche...	Bien. Le singe sera toujours d'excellent conseil pour le dragon trop confiant... et le dragon le protégera en échange.	Bien. Le coq profitera de la réussite du dragon... qu'il fera sienne.	Le chien, trop réaliste, voit le dragon tel qu'il est et le décourage. Ils seront malheureux tous les deux.	Oui... Le cochon saura jouer l'admiration... Il est si gentil! Il veut tellement faire plaisir!
e cheval amoureux est fidèle. Quand il lui arrive e ne plus aimer, il art. Infidèle, le erpent reste au yer... Ils seront alheureux.	La chèvre s'assagira si le serpent est assez riche... Mais, que d'histoires!	Seule l'intelligence peut sauver une telle union. Et encore!	Favorable. Ils joueront ensemble aux philosophes... et ils se complètent.	Le serpent pourra vivre sa vie... Et si le chien est enchaîné, il ne s'en rendra pas compte...	Ce pauvre bon vieux cochon finira étouffé...

Amour Mariage	femme rat	femme buffle	femme tigre	femme chat	femme dragon	femme serpent
homme cheval	Non, trop de problèmes passionnels... Finirait mal...	La femme buffle est autoritaire, le cheval égoïste et indépendant. Il partira.	Pourquoi pas, si la femme tigre trouve une « grande cause » à défendre... Le cheval vivra sa vie en toute tranquillité.	Très bien. Le chat restera à la maison et au chaud entouré d'amis. Il n'en demandera pas plus...	Non. Le cheval est trop personnel. Et comme la femme dragon a besoin qu'on s'occupe d'elle pour s'épanouir...	Bah!... si la femme serpent es contente... Et il y en elle assez d sagesse pour l'être
homme chèvre	Brrr... Impossible à envisager! N'essayez pas car votre curiosité serait punie.	Mauvais... la femme buffle finira par mettre l'homme chèvre à la porte... sans remords.	Aïe! Neuf chances sur dix pour que le tigre, excédé, dévore la chèvre sans manière...	Pourquoi pas... si la femme chat est fortunée... Ils pourront rester amis, même sans amour.	Surtout pas! La femme dragon a besoin d'admirer et d'être admirée : l'homme chèvre n'admire pas.	Difficile. Risqu d'enlisement... L sagesse ne pourr rien pour le ser pent.
homme singe	Une des meilleures formules. La femme rat adorera le singe et ils seront heureux.	Le buffle aime le singe et le singe est assez intelligent pour se tirer sans dommage de ce conglomérat familial.	Pas de tout repos. Le singe risque de faire tourner le tigre... en bourrique.	« Bon petit ménage » à condition que le singe ne soit pas trop prolifique.	Possible. Le singe est si bon comédien! Il a tant de charme! Il sera comme toujours déçu, mais n'en montrera rien.	Peut-être... si Die et le singe le veu lent... Tout dépen du singe... et d Dieu!
homme coq	Ils finiraient sur la paille...	Ce serait parfait, si le coq vaniteux n'avait pas envie de commander ou de faire semblant. Qu'il s'en abstienne...	Non. La femme tigre ne supporte pas la fatuité du coq, et elle serait injuste avec lui.	A aucun prix même quand elles sont sans gravité, le chat est exaspéré par les fanfaronnades.	Oui, si la femme a une situation brillante et que le coq en profite pour faire le joli cœur.	Pourquoi pas? I se complètent asse bien, et le serpent toujours la sagess de ne pas fai perdre la face au autres.
homme chien	Pourquoi pas? Le rat apportera au chien sentimentalité et réalisme.	Difficile... mais possible... si la femme buffle se contente de diriger sa maison.	Bien, mais un peu fou... Il leur manquera le sens du quotidien.	Bien. La femme chat sera de bon conseil. Elle apportera un peu de sérénité au chien... et restera à la maison... paisiblement.	Non... le chien n'est pas homme à admirer aveuglément. Il a autre chose à faire...	A la rigueur. la femme serpe n'est pas trop e geante...
homme cochon	Bien. Ils seront heureux si le rat ne se montre pas trop agressif. Le cochon supporte mal l'agressivité.	Hum! Le cochon cherchera ailleurs les satisfactions qu'il ne trouve pas à la maison... et il aura des ennuis...	Pourquoi pas? si le tigre, inconsciemment, n'abuse pas de la gentillesse du cochon.	Tout irait bien si le chat aimait la paillardise. Mais le cochon pourra chercher des consolations sans que le chat trouve à redire.	Oui... le cochon sera aux petits soins pour le dragon. Tant pis pour lui!	Pauvre cochon! sera inhibé... n'aura plus l'esp à la gaudriole!

femme cheval	femme chèvre	femme singe	femme coq	femme chien	femme cochon
Les deux passionnés seront sauvés par leur égoïsme...	Bien... ils ne s'ennuieront pas ensemble. Le cheval aura suffisamment de problèmes pour rester amoureux, et le chien se sentira en sécurité.	A déconseiller. Ils ne se comprendront jamais...	A la rigueur. Mais pas pour toujours.. Le coq souffrira.	Oui. Pourquoi pas? Tout occupé de son idéal, le chien laissera son indépendance au cheval... et il n'est pas jaloux...	Le cheval, trop égoïste, abusera du cochon. Il le rendra malheureux.
A déconseiller si la femme cheval n'a pas d'argent. Sinon, ils peuvent être heureux.	La bohème!... De quoi vivront-ils en attendant un riche mécène ou l'huissier? Heureusement, la lassitude...	Le singe peut s'en sortir... mais aura-t-il jamais la folie d'envisager une union durable avec une chèvre!	A déconseiller. Ils seraient tous les deux malheureux... même s'ils font illusion.	Non! Ce serait trop triste... Ils sont trop pessimistes tous les deux...	Le cochon supporte bien la chèvre... tant qu'elle ne dépasse pas les limites. Alors, il sera intraitable...
Non. Le cheval a besoin de passion et méprise l'habileté et la ruse dans l'amour.	Si le singe a de l'argent, pourquoi pas? La chèvre l'amuse tant!	Complicité absolue. Ils peuvent aller loin.	Le singe peut se moquer du coq toute sa vie sans qu'il s'en aperçoive. C'est le principal!	A déconseiller. Le chien souffrirait. Il est trop idéaliste.	Ça peut marcher. Il est trop facile de « berner » un cochon, le singe n'en éprouve aucun plaisir. Et il estime le cochon.
Non... elle lui volerait dans les plumes... Pour elle l'amour est une chose grave.	Non. La chèvre ne saurait vivre d'amour et d'eau fraîche... et le travail n'est pas son affaire... De voir travailler le coq la fatigue...	Le singe peut tirer beaucoup du coq, mais le coq sera malheureux et le singe insatisfait.	Vie impossible... Scènes de ménage garanties perpétuelles...	Non. Le chien supporte mal la fatuité. Son cynisme se déchaînerait.	Trop agressif, le coq fatigue le cochon. Ils ne sont pas assortis.
Oui. Pendant que le chien consacrera sa vie à une grande cause... le cheval consacrera la sienne lui-même et tout le monde sera satisfait.	Non! Qui ferait la première dépression nerveuse?	Peut-être, mais avec beaucoup de réserves car ils sont tous les deux un peu cyniques et sans illusion sur les autres.	A la grande rigueur... Que la femme coq organise des thés et des bridges... et tout peut marcher.	Oui. Mais, trop désintéressés, ils auront des ennuis d'argent.	Bien. La joie de vivre du cochon équilibre le chien. Ils sont généreux tous les deux et le cochon est souvent riche, nous le savons.
Le cochon souffrira de l'égoïsme du cheval, dont il ne parviendra pas à satisfaire la passion.	Comme le cochon a souvent de l'argent, la chèvre sera heureuse... Combien de temps mettra-t-il à la maîtriser?	Pourquoi pas? le singe estime le cochon.	Le cochon est patient, tolérant et même indulgent... Union possible...	Bien. Amour fait de compréhension et d'estime réciproque.	Bonne union. Concessions réciproques. Ils s'entendent bien.

Entente parents enfants	parents rat	parents buffle	parents tigre	parents chat	parents dragon	parents serpent
enfant rat	Tout va bien... avec quelques disputes sans conséquences.	Le buffle est très autoritaire, le rat agressif... mais ils s'entendent bien.	Le tigre se désintéressera totalement de ce que pourra faire le rat.	Le chat jouera avec... la souris... qui dansera quand le chat ne sera pas là... et rien n'ira.	Le dragon demande un peu trop à ses enfants. Mais, l'un dans l'autre, ça finira par fonctionner.	Le serpent aime famille et le rat loin de lui déplai
enfant buffle	Oui... quoi que dise le rat, le buffle tendra l'oreille.	Problèmes d'autorité. L'enfant se révoltera... mais il finira par obéir.	Que le tigre se débarrasse au plus tôt du buffle qui le détruirait... Le tigre souffrira.	Le chat considère son enfant avec étonnement, mais inquiétude... En fait, il s'en moque.	Le buffle essaiera de satisfaire le dragon... mais ce sera difficile. Le dragon aime ce qui a du panache et le buffle est renfermé.	Avec sagesse, le s pent fera son p sible... Ce sera d
enfant tigre	Papa rat n'apportera rien à son enfant tigre.	Impossible! Que le tigre parte le plus tôt possible. Père ou mère, le buffle le détruit.	Pas de cohabitation entre deux tigres. En cas de parents tigre, conseiller la pilule l'année du tigre...	Ce ne sera pas si mal... Un peu d'humour, tout en blessant le tigre dans son amour-propre, l'aidera.	Bien. Le dragon jouit d'un certain prestige auprès du tigre. Le tigre l'écoute.	Le serpent aura problèmes et de faire appel à to sa sagesse pour nir à bout de tigre.
enfant chat	C'est le rat qui craindra son enfant... à juste raison d'ailleurs.	Le chat, diplomate, se moque de l'autorité, mais peut faire semblant d'obéir.	Le chat sera irrespectueux tout en ayant l'air d'obéir.	Comme ils seront tranquilles!... Aucun problème!	Le dragon sera un peu déçu du manque d'ambition apparent du chat... mais il n'y aura pas de problèmes.	Oui... mais att tion... mère en hissante! Père clusif!
enfant dragon	Le rat sera dépassé... le dragon sera condescendant.	Non... Le dragon aura tendance à considérer l'auteur de ses jours comme un imbécile... surtout si c'est son père.	Oui... Ce sera tout à fait favorable à l'épanouissement de l'enfant.	A condition qu'il lui fiche une paix royale, le chat ne détestera pas que son enfant brille.	Très bien... Ils seront fiers l'un de l'autre.	Oui... le serp comprend le c gon.
enfant serpent	Le serpent n'en fera qu'à sa tête... mais d'une manière si agréable!	Le serpent aura la sagesse d'obéir... ou de faire semblant.	Incompréhension totale. Le serpent fera de louables efforts.	Oui... Ils parleront beaucoup et seront amis. Ces relations amicales satisferont le chat.	Oui... Le serpent comprend le dragon tout en n'étant jamais dupe.	Qui enchaîn l'autre? Vite, l'enfant serpen marie... Après sera trop tard.

parents cheval	parents chèvre	parents singe	parents coq	parents chien	parents cochon
atastrophique !... rtout si la mère st cheval. Tem-ête dans la fa-ille.	Comment faire ?... Et si encore c'était la mère qui était chèvre, on limiterait les dégâts...	Très bien. Le singe fera ce qu'il voudra de ses enfants rats.	Petites disputes. Prises de bec. Rien de grave mais rien de passionnant non plus.	Malgré sa bonne volonté et son sens du devoir, le chien ne sera pas passionné par le rat.	Oui... Ils riront beaucoup ensemble, et des mêmes plaisanteries. Et si le rat abuse un peu, tant pis!
on... Quand le heval prendra sa berté, le buffle ne lui pardonnera mais... Il ne com-rend pas!	Un monde différent. Des idées différentes sur toutes choses. Ils ne se sont d'aucune utilité.	Le singe a toujours du prestige auprès du buffle. Et il sait très bien s'y prendre...	Oui... le coq se laissera mener malgré quelques coups de bec lancés au hasard.	Non. Incompréhension totale et sans espoir. Ils se jugeront sévèrement et sans indulgence.	Peut-être... bien que le buffle soit un peu réticent.
ui... ça marche-... le cheval laissera son tigre indé-ndant et l'aimera en.	Entente impossible. Le tigre risque de dévorer la chèvre... distraitement.	Ce n'est pas si mal : la ruse du singe équilibre la force du tigre. Ils s'en sortiront.	Le coq sera systématiquement contesté.	Très bien. Le chien apportera beaucoup à son enfant, dont il sera fier.	Oui... mais le tigre sera insatisfait : il attend toujours beaucoup plus.
cheval a d'au-es... chats à fouet-r... ses enfants ront bien tran-illes...	Oui... A part que le chat ne pourra pas compter sur la chèvre.	C'est très bien. Le chat a de la chance.	Le chat laissera cocoriquer le coq et n'en fera qu'à sa tête.	Ils s'entendront bien, et surtout père chien et fille chat.	Très bien... mais le cochon souffrira de l'indifférence du chat à l'égard de sa famille.
out ira bien quoi 'il arrive. Cha-n vivra sa vie.	Pittoresque!... Si la mère est chèvre et le fils dragon, ce peut être parfait.	Très bien. Le singe apporte beaucoup au dragon trop confiant.	Entente possible. Le coq admirera un peu trop son enfant dragon... ce qui est souvent nuisible.	Ils ne s'entendront pas. Le dragon déteste les critiques que le chien lucide ne lui ménage pas.	Oui. Le cochon sera même utile au dragon.
enfant serpent gera sévèrement n père (ou sa ère) trop pas-onné et lui don-ra tort en cas de nflit.	La chèvre se laissera volontiers accaparer par son enfant... à condition qu'il s'occupe d'elle en contrepartie.	Pas si mal... Ruse et sagesse peuvent faire bon ménage.	Ils parleront beaucoup, mais leur paresse mutuelle risque d'être encouragée.	Le chien aura un peu l'impression d'avoir... avalé une couleuvre... Il n'aime pas la sagesse contemplative.	Oui... aux dépens du cochon. Une mère cochon peut devenir l'esclave de son enfant serpent.

Entente parents enfants	parents rat	parents buffle	parents tigre	parents chat	parents dragon	parents serpent
enfant cheval	Le cheval ruera dans les brancards. Il partira très jeune. Son père (ou sa mère) rat lui est insupportable.	Non... le cheval ne supporte pas l'autorité gratuite. Il se révoltera. Il partira pour ne plus revenir.	Des disputes entre ces deux violents, mais aussi beaucoup d'amour et d'estime réciproques.	Le chat est tellement tranquille... Pourquoi ne laisserait-il pas le cheval en faire à sa tête?	Quelques problèmes, mais tout finit toujours par s'arranger.	L'indépendance d cheval leur poser à tous deux des pro blèmes.
enfant chèvre	Aie!... Le père rat peut en tout cas comprendre sa fille chèvre.	Cent fois non! Le buffle sera mécontent, la chèvre malheureuse et tout peut mal se terminer.	La chèvre, souvent punie, ne pourra pas s'épanouir. Cette autorité est trop forte pour elle.	Très bon pour la chèvre. Il l'aidera, la comprendra... et elle lui plaît.	Fier de son sens artistique, le dragon aidera beaucoup la chèvre.	Pas trop mal si famille est aisée.
enfant singe	Le singe sera adulé, surtout si c'est un garçon et si la mère est rat. Est-ce si bon?	Oui... Le buffle se laissera toujours avoir par le singe.	Certes, le tigre sera souvent berné... mais le singe fera bien de ne pas abuser.	L'enfant singe trouvera à qui parler. Il est difficile de tromper un chat!	Bonne entente. Le dragon apportera au singe sa sagesse... à supposer que le singe en ait besoin.	Heu... le singe s'a rangera ... comm toujours.
enfant coq	Hum! Beaucoup de disputes, mais ils y arriveront... Le coq est si bon garçon!	Oui... mais quand il fait le fier-à-bras, le coq ne déteste pas qu'on exerce une autorité sur lui.	Cet enfant coq ne plaira que modérément au tigre... mais le tigre plaira au coq!	Le chat ne prendra jamais le coq au sérieux : il n'aime ni son plumage ni son ramage.	Le coq obéira aveuglément et le dragon en sera satisfait. Bonne entente.	Ils s'entendront tr bien. Le coq e flatté de se croi indispensable, m me si c'est au pr de sa liberté.
enfant chien	Incompréhension. Aucune idée commune. Le chien fera son devoir, comme toujours.	Non. Ils se fâcheront : le buffle n'aime pas être contesté.	Idéal !... Idyllique!... Entente parfaite, même dans la ruine et même jusqu'à la mort si nécessaire.	Le chat paisible rend le chien heureux. Excellent si la mère est chat.	Non... Le chien n'aura pas pour le dragon l'admiration que celui-ci se croit due.	Ils ne se sero d'aucune utilité.
enfant cochon	Ils pourront être complices, surtout le père et le fils. Et l'agressivité du rat tombera à plat.	Le cochon, bien que conciliant, supporte mal l'autorité aveugle... Il se rebiffera.	Bien que le tigre ait... une tête de cochon, le cochon lui pardonnera beaucoup pour sa générosité.	Peut-être... mais le cochon, sentimental, souffrira de l'indifférence du chat.	Oui. Le dragon sera utile au cochon. Il fera ce qu'il faut pour l'aider à réussir.	Le cochon dev prendre garde ne pas se laiss immobiliser.

parents cheval	parents chèvre	parents singe	parents coq	parents chien	parents cochon
ls se comprennent arfaitement et cela eut les mener à ertains excès... Ils omptent trop l'un ur l'autre.	Oui... mais que la chèvre ne compte pas trop sur le cheval pour assurer ses vieux jours.	Hum!... Le cheval, bien qu'habile, a tendance à mépriser la ruse dont il sera peut-être victime...	Le cheval ne supportera jamais l'autorité du coq. Et le coq ne saura où donner de la tête.	Le chien ne sera pas si mécontent que le cheval agisse à sa guise, mais un peu déçu par son égoïsme.	Le cochon souffrira du départ inévitable du cheval... avant l'heure... et il se fera du souci.
Oui... la chèvre sera heureuse... mais guère aidée.	Ce peut être amusant, mais peu constructif. Grande complicité si mère et fille.	Il peut en tirer le maximum car notre diablesse est diablement douée...	Le coq aura l'impression d'avoir... couvé un canard.	Difficile... Découragé, le chien peut finir par laisser tomber la chèvre.	Heureux chien! Le cochon l'aidera toute sa vie. Ils s'aiment bien.
Tout le monde s'en fiche plus ou moins... Pas de problèmes!	Bizarre... Cette parenté peut amuser le singe.	Complicité absolue. A malin, malin et demi...	Le coq sera roulé... mais content.	Le chien ne prend pas le singe au sérieux... et c'est réciproque!	Bien. Le singe étonnera et amusera le cochon... qu'il respectera.
Le coq sera déçu et ugera sévèrement apa ou maman heval... qui s'en noque.	Exaspération réciproque. Aucun terrain d'entente.	Le singe se moquera du coq avec subtilité. Le coq fera ce qu'il peut pour lui plaire, mais il souffrira.	Combats de coqs! A éviter à tout prix dans la même maison.	Ils s'éviteront. Ils n'ont rien de commun. Le chien est exaspéré par la livrée tapageuse du coq.	Le coq sera heureux. Le cochon fera tout pour le comprendre et le rendre heureux.
Le chien comprend nal l'égoïsme ... nais il n'a pas beoin du cheval.	Le chien prendra très vite ses distances, mais ne laissera jamais tomber la chèvre.	Difficile... le singe trouve que son enfant prend trop la vie au sérieux : d'où moqueries insupportables au chien.	Le coq en perdra son latin... Dialogue de sourds.	Bonne entente. Dangereuse pour le reste de la famille, car ils peuvent tomber dans l'excès.	Ils s'entendent bien... Le cochon sera tout dévoué aux causes du chien, mais il se fera souvent du souci.
Non... Le cochon souffrira de l'égoïsme du cheval, et le cheval n'y comprendra rien, a ne l'empêchera pas de dormir.	Heu... c'est finalement le cochon qui aidera la chèvre. Il a de l'affection pour elle.	Très bien. Le singe aime bien le cochon. Il s'emploiera à le rendre plus méfiant.	Le cochon est patient... mais il agira comme il l'entend. Et que le coq ne se figure pas mener le cochon par le bout du groin!	Oui... bien que le côté paillard du cochon hérisse le chien.	Oui... une paire d'amis. Ils sortiront ensemble avec plaisir.

Conjuguons les horoscopes	rat	buffle	tigre	chat	dragon	serpent
Capric.	Rat sévère. Difficile à piéger.	Pas un marrant! Il n'est pas là pour « rigoler »...	Tigre réfléchi. S'évitera bien des déboires.	Chat nostalgique. Peut-être le plus sévère, le moins sociable.	Dragon discret. Pour un dragon... ne se fera pas trop remarquer.	Serpent phil sophe. Son intelligen est grande ma un peu abstrai
Verseau	Rat intellectuel. Écrivain en puissance...	Buffle subtil. Son autorité s'exerce d'une façon agréable.	Tigre cérébral. Trouvera un équilibre entre la réflexion et l'action.	Chat doué. Peut faire un ami précieux. Devrait écrire.	Dragon lucide. Toujours pour un dragon, sera capable d'autocritique.	Serpent ésoté que. Son intuition se inquiétante... U avenir dans voyance, le spi tisme.
Poissons	Rat imaginatif. Peut tout faire, même des bêtises...	Buffle folâtre. Attention aux retours de manivelle.	Tigre un peu fou. Amusant mais dangereux... surtout pour lui...	Chat-chat-chat. Trois fois chat. Et si agréable en société...	Super-dragon. Grande sagesse et grande inspiration. Peut et doit aller loin.	Serpent d'eau. Il aura beauco de sang-froid.
Bélier	Rat fonceur. Agressivité.	Buffle ambitieux. Gare aux cornes!	Tigre à réaction! Peut franchir le mur du son... Garez-vous!	Chat sauvage. Fait rarement patte de velours.	Hyper-dragon. Fonce les yeux fermés, sûr de vaincre.	Serpent - pitho Attention a coups de béli
Taureau	Rat charmeur. Un compromis entre « Mickey mouse » et « Ferdinando le taureau ».	Buffle tendre. Mais un buffle est un buffle...	Tigre équilibré. A part un léger excès de sensibilité frisant la susceptibilité.	Chat si tendre! Ne sort jamais les griffes et reste au coin du feu à ronronner.	Dragon sucré. Ce sera un dragon familial et de tout repos.	Couleuvre. Il sera fidèle, ma son charme se irrésistible.
Gémeaux	Le rat des rats! Il échappera à tous les pièges!	Buffle pas sérieux. Très vivable en somme.	Tigre pour folles entreprises. Peut les réussir...	Chat de gouttière. Le moins tranquille des chats... Prendra quelques risques.	Dragon multicolore. Pétera du feu!	Serpent remuar Le plus incon tant.

cheval	chèvre	singe	coq	chien	cochon
ɩeval responsa- :. plus excep- nnel. Il aura s problèmes.	Chèvre réfléchie. La meilleure. Peut tout faire mais garde sa fantaisie.	Singe scrupuleux. ...mais tout est relatif.	L'oiseau rare. Aura des qualités profondes.	Chien de garde. On peut compter sur lui... mais il est inquiet.	Cochon austère... pour un cochon...
ɩeval de course. ɩ'il ménage sa ɔnture!	Chèvre mystérieuse. Méfiez-vous de sa grande intelligence au service de ses caprices...	Singe renfermé. Cache son jeu.	Coq sur son quant-à-soi. Un drôle de zèbre...	Chien savant. L'intellectuel de la meute.	Cochon efficace. Équilibré. Il arrivera.
eval pensif. ême fougueux, se contentera ɩvent d'imagi- : ce qu'il pour- ɩ faire...	Chèvre inspirée. Peut réussir dans n'importe quel art mais sera souvent insupportable.	Singe inventif. Il sait nager.	Coq de clocher. Vise haut. Plein de projets chimériques...	Chien original. Aurait intérêt à savoir nager.	Cochon inspiré. La perfection. Un vrai cochon!
ɩeval-vapeur. ɔlent, coléreux, ɩis, avec un peu suite dans les ɛes...	Chèvre lutteuse. Joue la chèvre de M. Séguin.	Singe lourd. Gare au gorille!	Coq de combat. Son agressivité ne connaîtra pas de bornes... Il cherchera noise à tout le monde.	Chien de guerre. Il fonce dans le brouillard.	Tête de cochon! Mais un cœur d'or!
ɩeval de fiacre. moins égoïste. ɾa des conces- ɔns.	Chèvre de charme. Son oisiveté risque de la perdre si des amis ne la prennent pas en charge.	Singe anodin. Plein de charme, mais inoffensif... ou presque...	Coq en pâte. Sera relativement conciliant.	Chien fidèle. Moins cynique et lucide que les autres.	Un petit cochon dans un cœur... Tout à fait charmant.
ɩr-sang. : restera pas place. N'ira nais jusqu'au ut de ce qu'il ɩtreprend.	Chèvre à échappement libre. Un tourbillon! Résistez à l'exaspération.	Singe en effervescence. Il fait des bulles...	Coq tapageur. Agitation perpétuelle. Il n'arrête pas.	Chien des rues. Mauvaise tête mais bon cœur.	Cochon folâtre. Ira loin si les petits cochons ne le mangent pas.

Conjuguons les horoscopes	rat	buffle	tigre	chat	dragon	serpen
Cancer	Rat rêveur. Ses distractions peuvent lui coûter cher.	Buffle atténué. Risque de ne jamais profiter du fruit de son travail.	Tigre de coin du feu. Le moins actif, le plus sédentaire.	Chat de genoux. L'inaction ne lui pèse pas. Il est charmant mais un peu mou.	Dragon dans la lune. Tirera des plans sur la comète.	Serpent som lent. Il ne se tuera à la tâche. Ag avant de s'en vir.
Lion	Rat bizarre. Sera en contradiction avec lui-même. Devra faire attention.	Buffle combatif. Attention! Mais il peut sortir de l'ornière de la tradition.	Ce n'est pas parce qu'il a un tigre dans son moteur qu'il doit se prendre pour un lion...	Chat-tigre. Bien qu'assez calme, traverse la vie toutes griffes dehors.	Dragon excessif. Ne peut que vous épuiser.	Serpent actif. Une espèce r Sans doute le p équilibré.
Vierge	Rat de laboratoire. Se débrouillera dans les labyrinthes de la vie.	Buffle étriqué. Il ferait mieux de cultiver son jardin.	Tigre pratique. Arrivera à ses fins.	Chat sage. Tirera les marrons du feu.	Dragon précis. Le seul qui ne soit pas chimérique. On croit rêver.	Serpent à s nette. Il adorera les cessoires et sa les utiliser.
Balance	Rat conciliant. Son agressivité est très atténuée.	Buffle sociable. Saura faire la part des choses.	Tigre apprivoisé. Sera d'un commerce agréable.	Chat qui fait la chattemite. Mélancolique, féminin, efféminé, charmant, il plaira...	Dragon rassurant. Ne vous y fiez pas! Son apparence est trompeuse.	Serpent trop pour être h nête. Attention ne pas tombe entre ses patte il peut vous h notiser.
Scorpion	Rat virulent. Détruira tout sur son passage.	Buffle dangereux. Têtu, violent, terrible...	Tigre compliqué. On peut s'attendre à tout.	Chat-sorcier. Attention aux maléfices.	Dragon épineux. Qui s'y frotte s'y pique.	Vipère lubriq Essaiera toujo de vous faire c quer la pomme
Sagitt.	Rat énergique. Réussira même à faire des économies.	Buffle équilibré. Le plus ressemblant... Un peu excessif...	Tigre comme il faut. Peut aller loin... trop loin...	Chat exceptionnel. Sera le meilleur, le plus équilibré des chats.	Dragon de tout repos. Comptez sur lui, il est reposant pour un dragon.	Serpent décidé Doit arriver à fins... mais très attrayant.

cheval	chèvre	singe	coq	chien	cochon
heval de mage. rop sensible : urnera en rond. e vivra pas sa e comme il le udrait.	Chèvre de bonne volonté. Une bonne fille de chèvre...	Un bon petit singe. Pas malin pour un sou... mais peut-être pour deux...	Coq sincère. Se fera souvent plumer.	Chien susceptible. Excessif. Vulnérable. Sensible. Honnête. Se sacrifie toujours pour les autres.	Cochon en pain d'épices. Qu'il ne se laisse pas manger.
ntaure. apable de tout. e pensera qu'à i.	Chèvre fière. Difficile à comprendre, car contradictoire. A ménager.	Singe ardent. Il tient un tigre par la queue.	Coq hardi. Donnera sa vie pour n'importe qui ou n'importe quoi...	Chien bruyant. Aboiera beaucoup pour l'emporter sur ses adversaires.	Cochon supérieur. Garanti pur porc.
heval de trait. ficacité, mais, las! inconstan-. Son sens praque peut le saur.	Chèvre à croquer. Rendra de menus services.	Singe manuel. Le moins cérébral des singes.	Coq rustique. Solide sur ses pattes.	Chien technique. Ne s'engagera pas au hasard.	Cochon tire-lire. Ne perdra jamais le nord.
eval de cirque. ansera avec un nache sur la e... mais agira ujours à sa ise.	Chèvre triomphante. Restez sur la défensive. C'est vous qui porterez des cornes...	Singe funambule. Son goût de plaire peut le perdre. Il fera sans cesse de l'équilibre.	Coq savoureux. Conciliant, agréable, voire diplomate.	Chien-chien. Chien très atténué. Aura un brin de diplomatie en partage.	Deux fois cochon. La reine des poires. Finira en chair à pâté.
heval sauvage. e plus passionnt... et le plus ssionné.	Chèvre passionnée. Douée et terriblement dangereuse... Cornes affûtées...	Singe sans scrupule. Un vrai sac à malices...	Coq subtil. Le plus intéressant.	Chien enragé. Se méfier de son ardeur à combattre.	Cochon dur... pour un cochon. Peut même jouer des tours de cochon.
heval de labour. endra à bout de n instabilité.	Chèvre décidée. Pourra se rendre utile. Aura un semblant de volonté. Profitez-en.	Singe sur l'expectative. ... Restez-y!	Coq gaulois. Plus vrai que nature.	Chien énergique. Rien ne l'arrêtera.	Cochon logique. Se demandera toujours si c'est du lard ou du cochon.

Amitié	rat	buffle	tigre	chat	dragon	serpent
rat	Oui... mais ils ne résisteront pas à la tentation de se faire de petites vacheries.	Meuh!... Ils n'auront pas beaucoup de sujets de conversation.	Non... le tigre est enthousiaste et le rat est matérialiste.	Non. Le chat a toujours sur le rat des vues... qui ne sont pas à proprement parler amicales...	Possible car ils s'apprécient. Et ce n'est pas le rat qui tentera de briller aux dépens du dragon.	Oui, car ils o énormément à dire. Amitié b varde.
rat	*Où est le capital travail? Ça peut finir dans une boutique d'usurier... florissante!*	Non. Conflit d'autorité.	Non. Le buffle est déconseillé au tigre... Indigeste!	Bonnes relations mondaines.	Non. Le dragon déplaît au buffle.	Ils s'entender bien en génér bien que dissen blables.
buffle	*Le buffle n'est pas un homme d'affaires... mais il est le capital travail. Il suffit qu'il commande.*	*Ils feraient mieux de s'acheter une ferme...*	Oui... Qu'ils fassent ensemble une course d'auto, le tour du monde, une révolution... mais qu'ils ne cohabitent pas!	Ils se comprennent fort bien. Mais le chat ne prend pas le tigre au sérieux et le tigre n'aime pas ça!	Oui. Ils se complètent et sont en général très utiles l'un à l'autre.	Non. Dialogu de sourds...
tigre	*Heureusement pour le tigre que le rat, bien que profiteur, est honnête... en général... Sinon il pourrait lui en cuire!*	*Non... Le buffle chercherait à détruire le tigre... Association catastrophique!*	*A déconseiller. Ils prendraient trop de risques... Et surtout qu'ils ne s'associent pas!*	Cent fois oui! Que de journées passées à bavarder au coin du feu!	Heu... oui... sans plus!	Oui. Ils auront longues et pa sionnantes cor versations.
chat	*Le chat est redoutable en affaires... et surtout pour le rat.*	*Pauvre buffle... le chat abusera de son savoir faire.... Mais qu'il soit prudent.*	*Possible. Le chat peut être utile au tigre et ils se complètent : l'un est prudent, l'autre téméraire.*	*Une étude d'avocats, de notaires... une boutique d'antiquités... Oui!*	Deux feux d'artifice ne se mettent pas en valeur...	Oui... ils s'ente dent général ment bien et complètent.
dragon	*Excellente association si c'est le dragon qui mène l'affaire.*	*Qui commandera? Et le buffle paraîtra ballot à notre grand seigneur!*	*Bonne association de deux fonceurs. Le dragon réfléchira pour deux.*	*Oui. Le chat laissera au dragon le soin de décider, mais il sera de bon conseil.*	*Des problèmes de prestige. A déconseiller.*	Oui. Ils s'ente dent très bien comme deux ph losophes.
serpent	*Intéressant à regarder de l'extérieur.*	*Ils devraient s'en abstenir...*	*Non... Ils n'arriveraient jamais à se mettre d'accord.*	*Oui. Ils feront de bonnes affaires à condition de travailler.*	*Possible... mais si le serpent laisse travailler le dragon sans rien faire cela peut mal tourner!*	*A force de réfl chir sans jam agir, leur affa finira par péric ter...*
cheval	*Entente impossible. Ils ne s'aiment pas. Ils feront tout pour se nuire.*	*A la rigueur... Ils sont tellement travailleurs! et le cheval est aussi honnête que le buffle, bien que plus habile.*	*Oui! Ce sera compliqué, violent, mais favorable.*	*Ce sera sportif! Le chat est malin mais le cheval est de taille à se défendre. Et que de mondanités!*	*Oui pour une affaire... mais jamais pour longtemps.*	*Ils peuvent s'associ le serpent réfléchi le cheval travaille*
chèvre	*La chèvre peut apporter son sens artistique au rat... Mais saura-t-il la diriger?*	*Pas question... Ils n'ont que faire l'un de l'autre...*	*Le tigre juge la chèvre avec impartialité et même tolérance. Mais la chèvre est souvent paniquée face au tigre.*	*Le chat a du goût et il sait choisir. Il peut rendre la chèvre productrice. Bonne association.*	*La chèvre peut être précieuse dans une affaire artistique, associée avec un dragon imprésario, metteur en scène...*	*Peut-être. Le s pent est sage mais comme il s mal diriger! chèvre fera bêtises.*
singe	*Oui... Mais que le rat se méfie de son admiration aveugle pour le singe.*	*Non!... Le buffle serait d'autant plus peiné qu'il aime bien le singe.*	*Que le tigre se méfie de la ruse du singe et le singe de la force du tigre!*	*Un jeu stérile! Chacun est de taille à se défendre contre l'autre... mais aucun n'est un créateur!*	*Très bon. Ruse et puissance. Qu'ils ne se quittent pas!*	*Des problèmes p le serpent. Le sin est... diabolique*
coq	*Casse-cou!... Ils feraient de très mauvaises affaires.*	*Beaucoup de travail, peu de gain... Et le buffle ne reconnaîtra pas les mérites du coq! Il le trouve paresseux...*	*Surtout pas... le coq n'est pas de taille. Il serait vite épuisé.*	*Que le coq fasse attention... que le chat veuille faire affaire avec lui cache quelque chose.*	*Si le dragon dirige, le coq peut faire un excellent public-relation...*	*Ils causent... causent... Cet association risq de sombrer dans bavardage...*
chien	*Le chien est trop idéaliste (bien que réaliste), et le rat trop intéressé.*	*Ils n'ont aucune idée commune... comment cela pourrait-il marcher?*	*Ils peuvent entreprendre n'importe quoi sauf une affaire commerciale!*	*Le chat sera utile au chien par son habileté et sa sérénité... le chien au chat par sa fidélité et son réalisme.*	*Non... le chien perce le dragon à jour et le dragon n'aime pas ça...*	*Possible ap tout... mais gu tentant.*
cochon	*Le rat essaiera de tromper le cochon... mais le cochon a tellement de chance en matière d'argent!*	*Le cochon peut être très utile au buffle qu'il estime pour son rendement.*	*Le tigre est tellement généreux et inconscient qu'il est un danger permanent pour le cochon.*	*Oui... le chat est habile et le cochon a une chance incroyable! Ils peuvent faire fortune.*	*Ce serait la réussite assurée. Surtout que le cochon est relativement modeste.*	*Le cochon n'a besoin de sages Le serpent risq de lui nuire.*
	rat	buffle	tigre	chat	dragon	serpen

cheval	chèvre	singe	coq	chien	cochon	
Non. La question ne se posera pas. ls ne s'entendent pas...	Pas durable... un feu de paille!	Oui. Mais toujours aux dépens du rat.	Une relation peut-être... Ils ne sympathisent que superficiellement.	Non. Le rat ne vise pas assez haut pour le chien.	Deux bons copains qui aiment sortir et chahuter ensemble. Et l'agressivité du rat restera sans écho.	rat
ls n'ont ni les nêmes goûts, ni a même morale. Alors...	Ils ne se supportent pas... ou pas longtemps.	Le singe plaît au buffle... mais il a tendance à se gausser du buffle.	Ils peuvent faire d'excellents amis, toute une vie.	Amitié difficile à concevoir.	Oui... à condition de ne pas se voir trop souvent.	buffle
ls se disputeront ans cesse... mais s ont beaucoup l'affection l'un pour l'autre.	On ne voit pas très bien ce qu'ils pourraient faire ensemble... la chèvre fait des projets, le tigre les réalise.	Le charme du singe en fait une relation intéressante... mais ils ont tous deux intérêt à ne pas approfondir.	Ils n'ont peut-être jamais essayé, ça ne les tente pas.	Il ne peut y avoir de plus solide amitié.	Oui... Ils s'entendent très bien... mais le cochon devrait prendre quelques sages précautions.	tigre
xcellentes relaons mondaines... t peut-être amié solide.	Oui. Le chat admire le sens artistique de la chèvre et ses caprices l'amusent.	De bons amis et deux complices auxquels il ne fait pas bon se frotter.	Non... le coq est trop tapageur. Il fatigue le chat.	Oui, le chat sera un bon confident pour le chien, même s'il ne lui apporte aucune aide effective.	Oui... à condition de ne jamais sortir ensemble. Le cochon choquerait le chat par sa... truculence.	chat
Non... Le cheval, rop personnel, ttend beaucoup nais donne peu. e dragon donne t attend beaucoup.	Oh oui! La chèvre sera tellement flattée qu'elle en deviendra charmante. Et quand elle veut être charmante...	Oui. Le singe fait ce qu'il veut du dragon... et il lui est tellement utile!	Ils sympathisent... c'est tout!	Non. Le chien trop réaliste décourage le dragon.	Bonnes relations. Aucun problème, certes, mais aucun élan!	dragon
)ui... les colères du heval glisseront ır... la sagesse du erpent...	Possible... si le serpent donne un coup de... main à la chèvre.	Relations mondaines sans chaleur.	Oui. Ils ont beaucoup à se dire...	Difficile... Mieux vaut s'en tenir aux relations mondaines.	Peut-être bien que oui... peut-être bien que non. L'avenir nous le dira.	serpent
Oui, car ils respectent leur indépendance mutuelle.	Oui... Qu'il est amusant de frôler les précipices!	Non. Le cheval se méfie du singe... à juste raison.	Agréables relations mondaines... Thés, bridges, soirées dansantes.	Ils parleront politique, et, s'ils sont d'accord... pourquoi pas?	Le cochon sera réticent et il aura raison.	cheval
Chacun tirera la couverture à soi... t une seule couverture pour deux chevaux!...	Les chèvres s'entendent bien. Mais qu'elles ne comptent pas trop l'une sur l'autre.	Oui... la chèvre plaît au singe car il ne s'ennuie pas avec elle.	Impossible. Le coq est trop conventionnel. Quelque chose lui échappe dans la chèvre...	Non. Ils se supportent difficilement.	Oui... le cochon sait parler aux chèvres... et il les aime bien.	chèvre
)ui... la chèvre inconsciente courra e gros risques, nais le cheval est abile...	*Incongru... Peut-être deux clochards sous un pont... Peut-être une géniale entreprise d'exploitation des autres...*	Ils se plaisent toujours ensemble... aux dépens des autres. Redoutables!	Ils n'ont rien de commun : le coq finirait par exploser.	Peut-être... Qui sait?... Mais le singe n'admire jamais à la légère.	Oui. Deux bons amis. Le singe respecte le cochon.	singe
e cheval est trop visé pour accepter de faire affaire vec le singe...	*La chèvre n'a rien à perdre... Et le singe reconnaît suffisamment ses talents pour en user.*	*A force de jouer au plus malin, ils pourraient bien avoir des ennuis.*	Bagarres assurées! Amitié impossible.	Un monde entre eux... un fossé... un mur... une muraille...	Le cochon ferait mieux de tenir le coq à distance...	coq
)ui. Mais que le oq ne compte pas rop sur le cheval... cheval ne supportera pas son nactivité.	*Non... Le coq trouve la chèvre inutile et agaçante... Il ne la comprend pas.*	*Pauvre coq! Il va se faire plumer!*	*Droit à la faillite!...*	Deux bons amis... mais ce ne sera pas « folichon ».	Oui. Ils s'aiment profondément et sont dévoués l'un à l'autre. Le cochon distraira le chien de ses inquiétudes.	chien
Pourquoi pas? Qu'ils fassent des affaires mais évitent une association.	*Non... Le chien se préoccupe de choses plus graves... du moins le croit-il.*	*Aucun plaisir pour eux... le singe craint le chien, qui ne se laisse pas faire.*	*Non... Ils ne partagent aucune idée et ce serait catastrophique.*	*Ils sont trop désintéressés. Ce serait leur ruine... Mais y attachent-ils tellement d'importance?*	Les mêmes goûts... Des copains de régiment inséparables qui feront des sorties rabelaisiennes.	cochon
ls ne s'entendent pas en affaires. Ils n'ont pas les mêmes dées.	*Ils se seront mutuellement utiles... Et la chèvre, même la chèvre, peut rapporter au cochon...*	*Le singe a tout intérêt à s'associer avec le cochon et il le sait. Il sera même généreux! C'est son intérêt.*	*Le cochon n'a aucune confiance dans les qualités d'homme d'affaires du coq. Il sera réticent.*	*Oui, mais le cochon y laissera des plumes car le chien est trop généreux. Il s'en moque du reste.*	*Ils peuvent faire fortune... En tout cas, qu'ils essaient, la chance est avec eux.*	cochon
cheval	chèvre	singe	coq	chien	cochon	Affaires

TABLE DES ILLUSTRATIONS

Relevés de Michel Brunet.

TABLE DES MATIÈRES

Achevé d'imprimer sur les presses de

L'IMPRIMERIE ELECTRA*

*Division de l'A.D.P. Inc.

Imprimé au Canada/Printed in Canada

Ouvrages parus chez

sans * pour l'Amérique du Nord seulement
*** pour l'Europe et l'Amérique du Nord**
**** pour l'Europe seulement**

COLLECTION BEST-SELLERS

* **Comment aimer vivre seul,** Lynn Shahan
* **Comment faire l'amour à une femme,** Michael Morgenstern
* **Comment faire l'amour à un homme,** Alexandra Penney
* **Grand livre des horoscopes chinois, Le,** Theodora Lau

Maîtriser la douleur, Meg Bogin

Personne n'est parfait, Dr H. Weisinger, N.M. Lobsenz

COLLECTION ACTUALISATION

* **Agressivité créatrice, L',** Dr G.R. Bach, Dr H. Goldberg
* **Aider les jeunes à choisir,** Dr S.B. Simon, S. Wendkos Olds

Au centre de soi, Dr Eugene T. Gendlin

Clefs de la confiance, Les, Dr Jack Gibb

* **Enseignants efficaces,** Dr Thomas Gordon

États d'esprit, Dr William Glasser

* **Être homme,** Dr Herb Goldberg
* **Jouer le tout pour le tout,** Carl Frederick
* **Mangez ce qui vous chante,** Dr L. Pearson, Dr L. Dangott, K. Saekel
* **Parents efficaces,** Dr Thomas Gordon
* **Partenaires,** Dr G.R. Bach, R.M. Deutsch

Secrets de la communication, Les, R. Bandler, J. Grinder

COLLECTION VIVRE

* **Auto-hypnose, L',** Leslie M. LeCron

Chemin infaillible du succès, Le, W. Clement Stone

* **Comment dominer et influencer les autres,** H.W. Gabriel

Contrôle de soi par la relaxation, Le, Claude Marcotte

Découvrez l'inconscient par la parapsychologie, Milan Ryzl

Espaces intérieurs, Les, Dr Howard Eisenberg

Être efficace, Marc Hanot

Fabriquer sa chance, Bernard Gittelson

Harmonie, une poursuite du succès, L', Raymond Vincent

* **Miracle de votre esprit, Le,** Dr Joseph Murphy
* **Négocier, entre vaincre et convaincre,** Dr Tessa Albert Warschaw

* **On n'a rien pour rien,** Raymond Vincent

Parlez pour qu'on vous écoute, Michèle Brien

Pensée constructive et le bon sens, La, Raymond Vincent

* **Principe du plaisir, Le,** Dr Jack Birnbaum

* **Puissance de votre subconscient, La,** Dr Joseph Murphy

Reconquête de soi, La, Dr James Paupst, Toni Robinson

* **Réfléchissez et devenez riche,** Napoleon Hill

Règles d'or de la vente, Les, George N. Kahn

Réussir, Marc Hanot

* **Rythmes de votre corps, Les,** Lee Weston

* **Se connaître et connaître les autres,** Hanns Kurth

* **Succès par la pensée constructive, Le,** N. Hill, W.C. Stone

Triomphez de vous-même et des autres, Dr Joseph Murphy

Vaincre la dépression par la volonté et l'action, Claude Marcotte

* **Vivre, c'est vendre,** Jean-Marc Chaput

Votre perception extra-sensorielle, Dr Milan Ryzl

COLLECTION VIVRE SON CORPS

Drogues, extases et dangers, Les, Bruno Boutot

* **Massage en profondeur, Le,** Jack Painter, Michel Bélair

* **Massage pour tous, Le,** Gilles Morand

* **Orgasme au féminin, L',** Christine L'Heureux

* **Orgasme au masculin, L',** sous la direction de Bruno Boutot

* **Orgasme au pluriel, L',** Yves Boudreau

Pornographie, La, Collectif

Première fois, La, Christine L'Heureux

Sexualité expliquée aux adolescents, La, Yves Boudreau

COLLECTION IDÉELLES

Femme expliquée, La, Dominique Brunet

Femmes et politique, sous la direction de Yolande Cohen

HORS-COLLECTION

1500 prénoms et leur signification, Jeanne Grisé-Allard

Bien s'assurer, Carole Boudreault et André Lafrance

* **Entreprise électronique, L',** Paul Germain
Horoscope chinois, L', Paula Del Sol
Lutte pour l'information, La, Pierre Godin
Mes recettes, Juliette Lassonde
Recettes de Janette et le grain de sel de Jean, Les, Janette Bertrand

Autres ouvrages parus aux Éditions du Jour

ALIMENTATION ET SANTÉ

Alcool et la nutrition, L', Jean-Marc Brunet
Acupuncture sans aiguille, Y. Irwin, J. Wagenwood
Bio-énergie, La, Dr Alexander Lowen
Breuvages pour diabétiques, Suzanne Binet
Bruit et la santé, Le, Jean-Marc Brunet
Ces mains qui vous racontent, André-Pierre Boucher
Chaleur peut vous guérir, La, Jean-Marc Brunet
Comment s'arrêter de fumer, Dr W.J. McFarland, J.E. Folkenberg
Corps bafoué, Le, Dr Alexander Lowen
Cuisine sans cholestérol, La, M. Boudreau-Pagé, D. Morand, M. Pagé
Dépression nerveuse et le corps, La, Dr Alexander Lowen
Desserts pour diabétiques, Suzanne Binet
Jus de santé, Les, Jean-Marc Brunet
Mangez, réfléchissez et..., Dr Leonid Kotkin
Échec au vieillissement prématuré, J. Blais
Facteur âge, Le, Jack Laprata
Guérir votre foie, Jean-Marc Brunet
Information santé, Jean-Marc Brunet
Libérez-vous de vos troubles, Dr Aldo Saponaro
Magie en médecine, La, Raymond Sylva
Maigrir naturellement, Jean-Luc Lauzon
Mort lente par le sucre, La, Jean-Paul Duruisseau
Recettes naturistes pour arthritiques et rhumatisants, L. Cuillerier, Y. Labelle
Santé par le yoga, Suzanne Piuze
Touchez-moi s'il vous plaît, Jane Howard
Vitamines naturelles, Les, Jean-Marc Brunet
Vivre sur la terre, Hélène St-Pierre

ART CULINAIRE

Armoire aux herbes, L', Jean Mary
Bien manger et maigrir, L. Mercier, C.B. Garceau, A. Beaulieu
Cuisine canadienne, La, Jehane Benoit
Cuisine du jour, La, Robert Pauly
Cuisine roumaine, La, Erastia Peretz
Recettes et propos culinaires, Soeur Berthe
Recettes pour homme libre, Lise Payette
Recettes de Soeur Berthe — été, Soeur Berthe
Recettes de Soeur Berthe — hiver, Soeur Berthe
Recettes de Soeur Berthe — printemps, Soeur Berthe
Une cuisine toute simple, S. Monange, S. Chaput-Rolland
Votre cuisine madame, Germaine Gloutnez

DOCUMENTS ET BIOGRAPHIES

100 000ième exemplaire, Le, J. Dufresne, S. Barbeau
40 ans, âge d'or, Eric Taylor
Administration en Nouvelle-France, Gustave Lanctôt
Affrontement, L', Henri Lamoureux
Baie James, La, Robert Bourassa
Cent ans d'injustice, François Hertel
Comment lire la Bible, Abbé Jean Martucci
Crise d'octobre, La, Gérard Pelletier
Crise de la conscription, La, André Laurendeau
D'Iberville, Jean Pellerin
Dangers de l'énergie nucléaire, Les, Jean-Marc Brunet
Dossier pollution, M. Chabut, T. LeSauteur
Énergie aujourd'hui et demain, François L. de Martigny
Équilibre instable, L', Louise Deniset
Français, langue du Québec, Le, Camille Laurin
Grève de l'amiante, La, Pierre Elliott Trudeau
Hiérarchie ethnique dans la grande entreprise, Jean-Marie Rainville
Histoire de Rougemont, L', Suzanne Bédard
Hommes forts du Québec, Les, Ben Weider
Impossible Québec, Jacques Brillant
Joual de Troie, Le, Marcel Jean
Louis Riel, patriote, Martwell Bowsfield
Mémoires politiques, René Chalout
Moeurs électorales dans le Québec, Les, J. et M. Hamelin
Pêche et coopération au Québec, Paul Larocque
Peinture canadienne contemporaine, La, William Withrow
Philosophie du pouvoir, La, Martin Blais
Pourquoi le bill 60? Paul Gérin-Lajoie
Rébellion de 1837 à St-Eustache, La, Maximilien Globensky
Relations des Jésuites, T. II
Relations des Jésuites, T. III
Relations des Jésuites, T. IV
Relations des Jésuites, T. V

ENFANCE ET MATERNITÉ

Enfants du divorce se racontent, Les, Bonnie Robson

Famille moderne et son avenir, La, Lynn Richards

ENTREPRISE ET CORPORATISME

Administration et la prise, L', P. Filiatrault, Y.G. Perreault

Administration, développement, M. Laflamme, A. Roy

Assemblées délibérantes, Claude Béland

Assoiffés du crédit, Les, Fédération des A.C.E.F. du Québec

Coopératives d'habitation, Les, Murielle Leduc

Mouvement coopératif québécois, Gaston Deschênes

Stratégie et organisation, J.G. Desforges, C. Vianney

Vers un monde coopératif, Georges Davidovic

GUIDES PRATIQUES

550 métiers et professions, Françoise Charneux Helmy

Astrologie et vous, L', André-Pierre Boucher

Backgammon, Denis Lesage

Bridge, notions de base, Denis Lesage

Choisir sa carrière, Françoise Charneux Helmy

Croyances et pratiques populaires, Pierre Desruisseaux

Décoration, La, D. Carrier, N. Houle

Des mots et des phrases, T. I, Gérard Dagenais

Des mots et des phrases, T. II, Gérard Dagenais

Diagrammes de courtepointes, Lucille Faucher

Dis papa, c'est encore loin?, Francis Corpatnauy

Douze cents nouveaux trucs, Jeanne Grisé-Allard

Encore des trucs, Jeanne Grisé-Allard

Graphologie, La, Anne-Marie Cobbaert

Greffe des cheveux vivants, La, Dr Guy, Dr B. Blanchard

Guide de l'aventure, N. et D. Bertolino

Guide du chat et de son maître, Dr L. Laliberté-Robert, Dr J.P. Robert

Guide du chien et de son maître, Dr L. Laliberté-Robert, Dr J.P. Robert

Macramé-patrons, Paulette Hervieux

Mille trucs, madame, Jeanne Grisé-Allard

Monsieur Bricole, André Daveluy
Petite encyclopédie du bricoleur, André Daveluy
Parapsychologie, La, Dr Milan Ryzl
Poissons de nos eaux, Les, Claude Melançon
Psychologie de l'adolescent, La, Françoise Cholette-Pérusse
Psychologie du suicide chez l'adolescent, La, Brenda Rapkin
Qui êtes-vous? L'astrologie répond, Tiphaine
Régulation naturelle des naissances, La, Art Rosenblum
Sexualité expliquée aux enfants, La, Françoise Cholette-Pérusse
Techniques du macramé, Paulette Hervieux
Toujours des trucs, Jeanne Grisé-Allard
Toutes les races de chats, Dr Louise Laliberté-Robert
Vivre en amour, Isabelle Lapierre-Delisle

LITTÉRATURE

À la mort de mes vingt ans, P.O. Gagnon
Ah! mes aïeux, Jacques Hébert
Bois brûlé, Jean-Louis Roux
C't'a ton tour, Laura Cadieux, Michel Tremblay
Coeur de la baleine bleue, (poche), Jacques Poulin
Coffret Petit Jour, Abbé J. Martucci, P. Baillargeon, J. Poulin, M. Tremblay
Colin-maillard, Louis Hémon
Contes pour buveurs attardés, Michel Tremblay
Contes érotiques indiens, Herbert T. Schwartz
De Z à A, Serge Losique
Deux millième étage, Roch Carrier
Le dragon d'eau, R.F. Holland
Éternellement vôtre, Claude Péloquin
Femme qu'il aimait, La, Martin Ralph
Filles de joie et filles du roi, Gustave Lanctôt
Floralie, où es-tu?, Roch Carrier
Fou, Le, Pierre Châtillon
Il est par là le soleil, Roch Carrier
J'ai le goût de vivre, Isabelle Delisle
J'avais oublié que l'amour fût si beau, Yvette Doré-Joyal
Jean-Paul ou les hasards de la vie, Marcel Bellier
Jérémie et Barabas, F. Gertel
Johnny Bungalow, Paul Villeneuve
Jolis deuils, Roch Carrier
Lapokalipso, Raoul Duguay
Lettre à un Français qui veut émigrer au Québec, Carl Dubuc
Lettres d'amour, Maurice Champagne
Une lune de trop, Alphonse Gagnon
Ma chienne de vie, Jean-Guy Labrosse
Manifeste de l'infonie, Raoul Duguay
Marche du bonheur, La, Gilbert Normand
Meilleurs d'entre nous, Les, Henri Lamoureux
Mémoires d'un Esquimau, Maurice Métayer
Mon cheval pour un royaume, Jacques Poulin
N'Tsuk, Yves Thériault
Neige et le feu, La, (poche), Pierre Baillargeon

Obscénité et liberté, Jacques Hébert
Oslovik fait la bombe, Oslovik
Parlez-moi d'humour, Normand Hudon
Scandale est nécessaire, Le, Pierre Baillargeon
Trois jours en prison, Jacques Hébert
Voyage à Terre-Neuve, Comte de Gébineau

SPORTS

Baseball-Montréal, Bertrand B. Leblanc
Chasse au Québec, La, Serge Deyglun
Exercices physiques pour tous, Guy Bohémier
Grande forme, Brigitte Baer
Guide des sentiers de raquette, Guy Côté
Guide des rivières du Québec, F.W.C.C.
Hébertisme au Québec, L', Daniel A. Bellemare
Lecture de cartes et orientation en forêt, Serge Godin
Nutrition de l'athlète, La, Jean-Marc Brunet
Offensive rouge, L', G. Bonhomme, J. Caron, C. Pelchat
Pêche sportive au Québec, La, Serge Deyglun
Raquette, La, Gérard Lortie
Ski de randonnée — Cantons de l'Est, Guy Côté
Ski de randonnée — Lanaudière, Guy Côté
Ski de randonnée — Laurentides, Guy Côté
Ski de randonnée — Montréal, Guy Côté
Ski nordique de randonnée et ski de fond, Michael Brady
Technique canadienne de ski, Lorne Oakie O'Connor
Truite, la pêche à la mouche, Jeannot Ruel
La voile, un jeu d'enfant, Mario Brunet

Imprimé au Canada/Printed in Canada